SABINO CASSESE

LA DEMOCRACIA Y SUS LÍMITES

GLOBAL LAW PRESS
EDITORIAL DERECHO GLOBAL

INAP
INSTITUTO NACIONAL DE
ADMINISTRACIÓN PÚBLICA

FORMA DE CITA RECOMENDADA:

Sabino Cassese
La democracia y sus límites
Global Law Press-Editorial Derecho Global,
Sevilla, 2018

Título original de la obra:
La democrazia e i suoi limiti
Sabino Cassese
Editore: Mondadori
Collana: Saggi
Segunda edición: 2018
© 2017 Mondadori Libri S.p.A., Milano.

Coedición de la editorial *Global Law Press-Editorial Derecho Global* y del
INAP (Instituto Nacional de Administración Pública)

© 2018: *Global Law Press-Editorial Derecho Global*
info@globallawpress.org
Sevilla (España)

ISBN *(Global Law Press-Editorial Derecho Global)*: 978-84-947415-1-7
NIPO EN PAPEL: 174-18-015-1
NIPO EN EPUB: 174-18-016-7
ISBN EN PAPEL: 978-84-7351-633-4
ISBN E-BOOK: 978-84-7351-634-1

DL: SE 1663-2017

Diseño: Los Papeles del Sitio
Imprime: Entorno Gráfico, Atarfe (Granada)

(Hecho en España)

ÍNDICE GENERAL

INTRODUCCIÓN

Son muchos los libros que se han escrito sobre la democracia. No todos, sin embargo, la contemplan en su funcionamiento real, ni estudian cómo cala en la vida del Estado ni cuáles son sus relaciones con los distintos poderes públicos, sus conflictos con la justicia, la autoridad o la eficiencia, tanto en la teoría como en la práctica del gobierno. He aquí la razón de la presente reflexión, en el centro de la cual se sitúa la interacción entre el elemento democrático de los sistemas políticos contemporáneos y los demás elementos que integran esta estructura compleja que llamamos Estado, así como la interrelación entre la democracia nacional y los ordenamientos jurídicos supranacionales.

El acento de esta reflexión se pone en la cuestión de los límites de la democracia, puesto que si ésta constituye en primer lugar un límite del poder, se encuentra a su vez limitada, bien sea por su propia naturaleza intrínseca, o bien sea por la acción de otras fuerzas. Los límites a los que aquí se pasa revista son, pues, de muy diversa naturaleza: algunos intrínsecos, otros provenientes de los distintos elementos de los sistemas de gobierno con los que la democracia ha de convivir; unos necesarios, otros eventuales; algunos de carácter fáctico, otros de naturaleza jurídica; algunos impuestos, otros ocasionales; algunos de signo negativo (en el sentido de que privan a la democracia de una parte de su fuerza), otros de signo positivo (porque la enriquecen).

La democracia constituye un instrumento del "gobierno limitado". De una parte, la soberanía popular, sobre la que se fundamenta la democracia, representa un medio para limitar a los poderes públicos, puesto que a su través el pueblo podrá influir de modo efectivo sobre el ejercicio del poder estatal. De otra, la misma soberanía popular no puede penetrar en todos los espacios, no es fuente de un poder ilimitado (así, y como habrá ocasión de explicar más adelante, la Constitución italiana, como tantas otras, dispone que la soberanía se ejerce en las formas y dentro de los límites establecidos, sin que pueda, por ejemplo, amparar un trato discriminatorio, contrario al principio de igualdad). En suma, pues, el tema de los límites que la democracia impone al poder y de los que ésta a su vez encuentra resulta esencial para su comprensión.

¿UNA NUEVA CRISIS DE LA DEMOCRACIA?

ÍNDICE

Menos de un tercio de la población norteamericana sabe que el lema "a cada uno según sus capacidades, a cada uno según sus méritos", con el que Karl Marx describió la última fase del socialismo, no está escrito en la Constitución norteamericana. En 1964 una minoría de estadounidenses sabía que la URSS no formaba parte de la OTAN. Hoy la mayoría de esa población no conoce al candidato político de su distrito; pocos saben qué partido controla el Congreso; el 40% no sabe a qué poderes se enfrentó Estados Unidos durante la Segunda Guerra Mundial. En Italia, una buena parte de la población piensa que el número de inmigrantes se eleva al 27% de la población, más del triple de la cifra real.

I. SEÑALES PREOCUPANTES EN TODO EL MUNDO

El presidente francés Emmanuel Macron, el 7 de septiembre de 2017, en la cuna de la democracia, en Atenas, bajo el Partenón, dijo que "en Europa aujourd'hui, la souveraineté, la démocratie et la confiance sont en danger" (hoy en día, la soberanía, la democracia y la confianza están en peligro. "La democracia muere en las tinieblas" (*democracy dies in darkeness*) es el nuevo lema que aparece en la primera página del "Washington Post". Ya en 1966, el presidente turco Erdoğan declaró que la democracia "es un medio y no un fin, como un tranvía del que te bajas cuando llegas a tu destino".

Tan sólo casi la mitad de los 193 Estados del mundo se gobierna democráticamente y el número de países democráticos no aumenta. Es más, algunos Estados en los que se celebran elecciones con regularidad, como Turquía, Polonia y Hungría, se vuelven antiliberales, en cuanto limitan la libertad de expresión, la libertad de asociación o la independencia del poder judicial y, por tanto, socavan la propia democracia, que no puede sobrevivir sin estos instrumentos.

Hasta en países con una democracia bien asentada y antigua, como en el caso del Reino Unido, se descubren limitaciones en el sistema democrático, como lo es la privación del derecho a votar de la población reclusa, cualquiera que sea el delito que se haya cometido; o en los Estados Unidos, donde la democracia se está convirtiendo en plutocracia, y al representante de la nación lo elige la mayoría de los Estados, y no la mayoría de la población, hasta el punto de que el último presidente, Donald Trump, fue elegido a pesar de contar con dos millones de votos menos que su competidor.

Igualmente se muestran débiles los mecanismos de toma de decisiones en las democracias, lo que aqueja no sólo a los partidos y a los parlamentos. El Reino Unido y China, por ejemplo, han confiado al mismo arquitecto el diseño y la construcción, respectivamente, de la quinta terminal del aeropuerto de Heathrow en Londres y la tercera terminal del aeropuerto de Beijing: la primera se construyó en 20 años, la segunda en 4 años.

II. LA PARTICIPACIÓN POPULAR

El referéndum constitucional italiano de diciembre de 2016 se ganó con algo más de 19 millones de votantes, lo que representa tan sólo el 37% del electorado. Donald Trump fue elegido el 45º Presidente de los Estados Unidos en noviembre de 2016 con sólo un cuarto de los votos de los ciudadanos estadounidenses. En el referéndum en el Reino Unido de junio de 2016 sobre la pertenencia a la Unión Europea, votó por la salida el 52% del 72% de los que tenían derecho a votar. No una mayoría, sino una minoría, ha tomado una decisión cuyas consecuencias afectan a toda Europa y no han sido tenidas en cuenta ni por los que estaban a favor o en contra de la salida de la Unión. Lo mismo puede decirse del Presidente turco Erdoğan: elegido en 2014 por el 52% del 76% de las personas con derecho a voto, comenzó a imponer fuertes restricciones en julio de 2016 a la oposición, con graves consecuencias tanto para las minorías internas, como para Europa y el equilibrio político de esta parte del mundo. En las elecciones presidenciales francesas de 2017, Macron obtuvo algo más del 24% de los votos en la primera vuelta y en la segunda más del 66% de aproximadamente el 74% de los participantes en la votación.

En los países desarrollados, alrededor de una cuarta parte del electorado se abstiene de votar. En las democracias más antiguas y establecidas, como Suiza, votan aproximadamente la mitad de los que tienen derecho a hacerlo.

En Italia, la participación electoral, que al principio de la historia de la República era de más del 90%, se redujo en veinte puntos después de unos treinta años y en 2010 era ya inferior al 64%. Los votantes en las últimas elecciones regionales sicilianas fueron el 46,7% del electorado.

La participación política activa, medida en una encuesta de la Oficina Nacional de Estadística (ISTAT), se reduce al 8% de las personas mayores de 14 años (la participación social es tres veces mayor), mientras que la participación política pasiva es del 77%. Esto significa que muchas personas están interesadas en la política, aunque no quieren implicarse activamente en ella.

De la "democracia de los partidos" se ha pasado a los partidos "líquidos". Los partidos están en crisis en la sociedad, si bien son fuertes en el Estado.

En Italia, ha surgido de repente un movimiento de rebelión que afecta de a un cuarto a un tercio del electorado. Y se han sucedido, a lo largo de ciento cincuenta años trece sistemas electorales, tres desde 1993.

III. LA CRECIENTE DEMANDA DE DEMO-CRACIA Y EL PELIGRO DE DRAMATIZAR

Al mismo tiempo que disminuye la participación popular, crece la demanda de una mayor democracia. Los ciudadanos quieren participar en las decisiones, se muestran descontentos con la clase dirigente, desean establecer canales directos con el poder.

La búsqueda de un "empoderamiento del pueblo", de más derechos –pero no de deberes, con los que aquéllos formaban casi una endíadis desde hace dos siglos–; y la reivindicación de siempre más prestaciones a cargo del Estado genera frustraciones, protestas, rebeliones, puesto que resulta difícil satisfacer esta demanda creciente. Y cuando ésta se satisface, produce sobrecarga gubernamental, elefantiasis, ineficiencia, que se encuentran en el origen de nuevas insatisfacciones populares. Como escribió Norberto Bobbio, "nada corre más el riesgo de matar a la democracia que el exceso de democracia". La tentación de una democracia ilimitada es peligrosa.

Se trata de señales preocupantes, que afectan tanto a la democracia directa (los referendos), como a la democracia indirecta (las elecciones). En muchos lugares del mundo estos signos se nos presentan con un tono dramático. Se constatan crisis, decepciones, traiciones, o insuficiencias de la democracia. Ésta habría agotado el capital acumulado de confianza, quedando de la democracia una mera fachada. El *demos* habría perdido la partida frente a las oligarquías. A una sociedad pasiva le acompañaría un paternalismo estatal, con el consiguiente desplazamiento del centro de gravedad desde el poder legislativo, que representa al pueblo, hacia el Ejecutivo, en el que prevalece el componente oligárquico. De ahí que los organismos representativos se hallarían en crisis, con el peligro de la deriva hacia autoritarismos de nuevo cuño, la verticalización del poder, presidencialismos de hecho, el colapso de los cuerpos intermedios (especialmente partidos y sindicatos). La política habría pasado de ser un vehículo para hacer observar las leyes a un instrumento para derogar las leyes. Hay quien ve en esto un diseño de las "plutocracias" internacionales, de las tecnocracias que se sustraen de todo control popular, con una sólida base en el mundo financiero global. Cabe recordar la burlona frase de Bertolt Brecht: "el Gobierno debería disolver al pueblo y elegir a otro".

Sin embargo, la pasión y la retórica de quienes dramatizan tampoco ayudan a comprender lo que sucede, pues así se corre el riesgo de oscurecer los verdaderos problemas.

La democracia ha sido también en el pasado objeto de críticas o de interpretaciones destinadas a redimensionar su alcance. Recuerdo aquí la frase pronunciada por un joven republicano en el *Luciano Leuwen* de Stendhal, en la que la democracia se concebía como "esa dulce mezcla de hipocresía y mentira a la que se llama gobierno representativo". En cambio, Settembrini, uno de los protagonistas de *La montaña mágica* de Thomas Mann, afirmaba que la democracia no tiene otro significado que el de una corrección individual a todo absolutismo estatal.

Por otra parte, en muchos países la democracia ha conocido diversas crisis. La más importante y discutida ha implicado, en torno a la Primera Guerra Mundial, a diversos países, como consecuencia de la extensión del sufragio y del crecimiento de las grandes organizaciones de masas, partidos y sindicatos. Más tarde, algunos politólogos americanos han definido la democracia italiana y la japonesa de la segunda posguerra como *quasi-democracies* o *uncommon democracies*, habida cuenta de que durante medio siglo las elecciones libres han llevado al Gobierno siempre al mismo partido.

Si es cierto que una buena parte del electorado no participa en las votaciones, no lo es menos, sin embargo, que existen instituciones representativas tanto a nivel nacional como local; jueces que ejercen el control necesario; libertad de expresión y de asociación. En suma, los Estados se complacen en proclamarse democráticos (así el art. 1 de la Constitución italiana: "Italia es una República democrática"; o de la española: "España se constituye en un Estado... democrático").

Asimismo esperamos cada vez más de las instituciones y medimos su rendimiento no en función de sus respuestas, sino en relación con nuestras crecientes expectativas y sobre la base de criterios variables: unas veces queremos que sean más eficientes, otras que escuchen más a los ciudadanos, o también que nos dejen más libres.

Por último, los sistemas democráticos han demostrado poseer una capacidad inigualable de garantizar la seguridad y la justicia, y de redistribuir los resultados del crecimiento económico (aun cuando esta función no se haya desempeñado bien en las últimas décadas, y haya provocado la reacción de los movimientos antisistema).

Resulta necesario, por tanto, poner, en su debido contexto y desde una perspectiva histórica, la democracia, con el estilo propio del entomólogo, más que con el de un predicador. Hoy es más válida que nunca la recomendación de Giacomo Leopardi: "quien no sabe acotar, no sabe hacer".

LA DEMOCRACIA COMO GOBIERNO DEL PUEBLO

ÍNDICE

Cuando acababa de restaurarse la democracia en Atenas, el pueblo decidió condenar a muerte a Sócrates. Es posible que detrás de las acusaciones oficiales se ocultase la acusación política de ser enemigo de la democracia y simpatizante de la oligarquía. Diógenes Laercio, en *Vidas y opiniones de los filósofos ilustres*, cuenta que, poco después, los atenienses se arrepintieron, hasta el extremo de cerrar gimnasios y lugares de ocio, de exiliar a dos de los acusadores y condenar a muerte al tercero, Meleto. Después honraron a Sócrates con una estatua de bronce realizada por Lisipo que colocaron en el Pompeion. Cuando Anito, uno de los acusadores, llegó a Heraclea fue desterrado ese mismo día por sus habitantes. En suma, el pueblo puede equivocarse y en nombre de la democracia puede tomar decisiones peligrosas para la vida de los ciudadanos. Más tarde los franceses distinguirían entre *peuple* e *populace*, entre el pueblo –como sujeto colectivo noble– y populacho –como masa plebeya, no instruida y embrutecida, que actúa irracionalmente.

I. LA DEMOCRACIA: UNIDAD DE MEDIDA DE LOS SISTEMAS POLÍTICOS

La democracia constituye la unidad de medida con la que medimos los regímenes políticos. Así, por ejemplo, cuando pensamos en la Unión Europea, nos preguntamos si verdaderamente padece o no un "déficit democrático". O, cuando la Unión Europa se plantea la admisión de Turquía, surge el interrogante de si su ordenamiento jurídico se inspira en verdad en el principio democrático.

Sin embargo, la democracia como "unidad de medida", como "baremo" o criterio de valoración, necesita a su vez de toda una suerte de "indicadores", como los que han sido elaborados por la Comisión de Venecia del Consejo de Europa, por *The Economist ("Democracy Index")*, o por el Banco Mundial *(Governance Indicators)*. Hay además un "*Democracy Barometer*", un barómetro de la democracia, con el que se mide la "temperatura" de la democracia. La democracia se ha convertido para los sistemas políticos en lo que el Producto Interior Bruto (PIB) es para la economía. Es el indicador de la salud de los poderes públicos, del mismo modo que el PIB lo es del desarrollo económico. Ambos son indicadores incompletos pero importantes.

La democracia es, por otra parte, una unidad de medida muy insegura. En la *World Summit* de 24 de octubre de 2005, la Asamblea General de las Naciones Unidas aprobó, en efecto, una Resolución en cuyo parágrafo 135 se dispone que la democracia es un valor universal, que se funda en la libre expresión de la voluntad de los pueblos para determinar su propio sistema político, económico, social y cultural y su participación plena en todos los aspectos de su vida.

Poco después añade, sin embargo, que no existe un único modelo de democracia. En efecto, el sustantivo "democracia" se acompaña de una amplia variedad de adjetivos: representativa, participativa, directa, indirecta, deliberativa, liberal, socialista, capitalista, etc. El término "democracia" hace alusión a regímenes antiguos y modernos, muy diversos entre sí, aunque se utiliza genéricamente como sinónimo de "gobierno" y de "buen gobierno".

De lo dicho puede desprenderse que la democracia consiste en un conjunto de instituciones; que éstas se encuentran en proceso de evolución; que hay más clases de democracia, porque si bien la inspiración y el principio son únicos, son muy diferentes tanto en las interpretaciones como en los contextos.

Por otra parte, el propio término "democracia" y las instituciones en las que se expresa se extienden a otros ámbitos, más allá de los poderes públicos y del Estado. Así, por ejemplo, la Constitución italiana establece que los sindicatos se organicen sobre el principio democrático y que los ciudadanos asociados en partidos puedan concurrir con procedimientos democráticos a la determinación de la política nacional –aunque ambas previsiones no se hayan cumplido–. Hay (o debería haber) una democracia societaria. De una asociación se podría decir que es más o menos democrática. En suma, también hay versiones o variantes jurídico-privadas de democracia, propuestas o experimentadas en áreas muy diferentes a las de los sistemas políticos.

II. DEL PUEBLO DERIVA LA FUERZA

"El Derecho es la unión de la luz con la fuerza. Del pueblo viene la fuerza, del Gobierno la luz", escribió Antoine Rivarol. Más tarde, en 1835, Alexis de Tocqueville, en *De la Démocratie en Amérique*, escribió: "le pouvoir social doit émaner directement du peuple" (el poder social debe emanar directamente del pueblo). Tres décadas después, el Presidente norteamericano Abraham Lincoln afirmó: "goverment of the people, by the people, for the people". Esta triple especificación de *people* (pueblo) –en el discurso de Gettysburg de 1863– no se refería expresamente a la democracia, aunque así ha sido entendida: la democracia es "gobierno del pueblo, por el pueblo y para el pueblo".

Esta célebre definición de democracia remite al Derecho Romano: "quod omnes tangit ab omnibus approbetur", es decir, "lo que a todos afecta, por todos debe ser aprobado". Es ésta una máxima que ha pasado del Derecho Romano al Derecho Canónico, para llegar finalmente hasta nuestros días. Los padres fundadores de la democracia norteamericana, personas cultas, fueron capaces de trasladar al mundo moderno estos conceptos clásicos.

Esta simple definición plantea no pocos problemas. En primer término, ¿por quién está compuesto el pueblo? Después, ¿cómo se organiza? En tercer lugar, ¿es precisamente el pueblo el que hace oír directamente su voz en la democracia? Y, finalmente, ¿cómo hace oír su propia voz el pueblo?

El pueblo está formado por la comunidad que reside en un territorio. Pero, a pesar de todos los movimientos que a lo largo de los siglos XIX y XX realzaron la idea de comunidad (la ideología del *self-government* o autogobierno inglés, en su reinterpretación alemana; el pensamiento socialista, que pasa por los *soviets* y la "comunidad de trabajadores y usuarios", que incluso consagra la Constitución italiana; o la inspiración de la doctrina católica sobre la comunidad en contraposición al Estado), las personas que residen en un territorio determinado se encuentran muy divididas.

Hasta hace un tiempo relativamente reciente, la segunda mitad del siglo XIX, en Estados Unidos no se aceptaba la plena pertenencia de los esclavos al pueblo. Hasta los años cuarenta del siglo XX, las mujeres no podían votar en Francia ni en Italia. En Italia, hasta 1946, las mujeres carecían de plena capacidad. Además de no tener derecho a voto, no podían ser jueces, ni ocupar altos cargos (por ejemplo, prefecto, embajador). En 1925 una Ley reconoció a las mujeres el derecho al voto, aunque sólo a nivel local para las elecciones municipales. Sin embargo, no llegaría a aplicarse porque poco después el fascismo suprimió el carácter electivo de los cargos locales.

Ahora el problema vuelve a resurgir a causa de la convivencia en el mismo territorio nacional de muchas personas que han nacido en otros países y que sólo por excepción se "naturalizan":

Un tercio de la población en el Líbano, un cuarto en Australia, un quinto en Canadá; más de un sexto en Austria, Suecia y Bélgica; más de una décima parte en Alemania, Francia, Gran Bretaña y Estados Unidos se componen de personas que han nacido en otros países y que se consideran migrantes o refugiados. En 1960 eran 77 millones las personas que vivían en un país diferente del de nacimiento; en 1990, 150 millones; 232 millones, en 2013; y 244 millones en 2015 (más del 3% de la población mundial), de los cuales 136 millones viven en países desarrollados. En Italia los extranjeros residentes legalmente son cerca de 5 millones (es decir, en torno al 8,1% de la población residente). Son más del 10% de los trabajadores, el 9% de los alumnos de las escuelas, el 8% de los empresarios, el 8% de los contribuyentes.

Ahora bien, aunque estas personas se hallen en un territorio determinado, sin embargo, en pocos casos se integran en la comunidad de origen de ese territorio y, además y sobre todo, no gozan de los derechos de ciudadanía o de los derechos políticos. En consecuencia, no forman parte del pueblo sobre el que se funda la democracia. Sufren los efectos de la las decisiones que toma la comunidad en la que viven sin poder participar en la formación de tales decisiones.

Es notable que durante la expansión de ideas democráticas desde finales del siglo XVIII hasta nuestros días se haya hecho referencia al pueblo sin mencionar a la parte de éste que quedaba excluida, en virtud de criterios poco democráticos: población negra, mujeres, inmigrantes.

Se da también el problema contrario, es decir, el de los miembros de la comunidad –ciudadanos– a los que se les revoca la ciudadanía o se les sustrae el derecho al voto.

La revocación de la ciudadanía ha sido una cuestión muy discutida recientemente en Francia y también en el pasado, en los Estados Unidos, donde una sentencia de 1967 del Tribunal Supremo declaró que los poderes públicos no pueden romper el vínculo pueblo-Estado, retirando la ciudadanía. A la misma conclusión se llega de la mano del argumento de Hannah Arendt, según la cual la ciudadanía consiste en el derecho a tener derechos y, por tanto, no puede perderse cuando una persona se convierta en *stateless*, en una persona sin Estado.

Por otra parte, el problema de la exclusión del sufragio se suscitó ya en la más antigua democracia, la inglesa, que priva del derecho de voto a toda la población reclusa (cerca de 80.000 personas), con independencia del delito cometido y por tanto de la pena impuesta. Expoliarles de su derecho a participar en la vida política de la comunidad –según dicen al otro lado del Canal de la Mancha– resulta saludable para aquellos que se sitúan en el lugar equivocado de la ley, en cuanto les ayuda a entender la importancia de la participación cívica. Esta forma de "muerte civil", de exclusión de la sociedad política, ha sido objeto desde 2005 de numerosas resoluciones del Tribunal Europeo de Derechos Humanos condenatorias para el Reino Unido.

He aquí un primer límite de la democracia: la asimetría entre el "quod omnes tangit" y el "ab omnibus approbetur", esto es, entre gobernados y gobernantes. Las dos partes no se corresponden: o los Estados asumen el derecho de expulsar a las personas no deseadas de los gobernados o de retirar su derecho de participación.

III. LA CRISIS DE LOS PARTIDOS

En segundo lugar, el pueblo, que integra una comunidad tan extensa como la estatal –que se mueve entre cinco y cientos de millones (ya que las naciones poseen dimensiones muy variadas entre sí)–, no podría manifestar su propia "voluntad", si no estuviera organizado. De ahí que los partidos se constituyan como asociaciones para definir las políticas y, según también se afirma, para transmitir la "voluntad popular" al poder público compitiendo entre sí.

Surgidos como movimientos sociales de amplio espectro o de frontera inestable, derivaron después en partidos-organización y, en ocasiones, en "partidos-iglesia", para hoy sufrir una crisis casi universal. Su base –los afiliados– se ha visto reducida drásticamente (en la segunda posguerra mundial los tres principales partidos italianos contaban con más de 4 millones de afiliados; hoy, en cambio, los partidos tienen menos de un millón), y ello bien sea a causa de la desagregación del capital social, o bien sea porque los votantes prefieren establecer vínculos de corta duración, en lugar de mantener una afiliación política de larga duración.

También para suplir esta carencia, tanto los afiliados como los votantes pueden participar en las elecciones primarias.

En lo que hace a Italia, se trata de una praxis que introdujo el Partido Democrático cuando apareció en escena, y que luego llevarían a cabo otros partidos esporádicamente (otra cosa muy diferente son las primarias de EEUU, como luego se verá). Esas primarias, sin embargo, plantean un doble problema: la exclusión de las personas que pertenecen a otras agrupaciones políticas, y el riesgo de la "contaminación".

En paralelo a los partidos han nacido nuevos movimientos, de fronteras inciertas, llamados populistas, que son la muestra de un difuso malestar y que recogen la rebeldía antes contenida por los propios partidos. Muchos países han aceptado que existan otros intermediarios o instancias entre la sociedad y el Estado, instancias estas que se pueden denominar de distintas formas: *lobbies*, organizaciones de intereses, corporaciones, grupos de intereses. Representan de ordinario intereses sectoriales. Son instancias reconocidas e incluso reguladas.

La cúpula de los partidos aparece como una oligarquía cuya misión consiste en la distribución del poder y en el proceso electoral. Los líderes tienden a dar una impronta cada vez más personal al propio poder, que, en consecuencia, se "verticaliza". Los partidos, en definitiva, como instrumento de la democracia, deben a su vez democratizarse para garantizar que internamente se respetan las reglas democráticas o que no se convierten en una amenaza para la democracia.

En consecuencia, la tensión entre los dos polos de la democracia –pueblo y Gobierno– viene a perder un intermediario esencial. La democracia, como control del poder del Gobierno, pierde el instrumento esencial de tal control.

En Italia los nombres de los partidos se elegían para su mejor caracterización e identidad diferencial (comunistas, socialistas, democristianos), mientras que ahora sus nombres poco dicen sobre su ideario político (¿quién se declararía contrario a la democracia y a la libertad, por hacer referencia a dos de las principales formaciones políticas?). La mayor parte de las asociaciones políticas italianas han renunciado al uso de la palabra "partido" en su propia denominación. Algunas llegan a identificarse con el nombre del líder que luego convierten en símbolo electoral.

Ha desaparecido la distribución capilar de los partidos sobre todo el territorio y su organización deviene un tanto fluida. La militancia voluntaria desaparece. Resulta determinante la función del líder. Las cenas para recoger fondos y la *microfinanciación* (*crowdfunding*) que proviene de la sociedad sustituyen a la financiación mediante la afiliación. Los partidos que recurren a primarias abiertas a los no afiliados derriban los muros que dividen afiliados y simpatizantes o votantes.

El fenómeno de la "licuefacción" de los partidos los transforma en agregaciones electorales que se activan para cada elección. El mismo proceso electoral se organiza para cada ocasión, con trasvases de votos de un partido a otro. Ello supone una mutación de la lucha electoral entendida como guerra de posición, para convertirse en una guerra de movimientos; aumenta la importancia del "mercado político"; y permite a los partidos salir de sus fortalezas e ir más allá de su propio electorado tradicional, aunque así corran mayores riesgos. Los partidos son menos rígidos, menos cerrados. Amenazan menos a la democracia a consecuencia de su carácter autocrático y oligárquico, tal y como se temía hace medio siglo. Se corresponden cada vez menos con el modelo constitucional de una pirámide que crece desde abajo (en virtud del art. 49 de la Constitución italiana, los ciudadanos se afilian a los partidos para concurrir con métodos democráticos a fin de determinar la política nacional). En muchos casos prevalece la idea de que el pueblo debe expresarse directamente sin la mediación de los partidos, de los que se puede prescindir, excepto que se constituyan otros tipos de mediadores, movimientos, o asociaciones, que canalizan el consenso hacia la representación parlamentaria.

Antonio Gramsci escribió, en referencia a Maquiavelo, que los partidos son el "príncipe moderno", en cuanto organismos que guían los procesos políticos y en los que se concreta una "voluntad" colectiva. El "príncipe moderno" cumple dos funciones, la formación política de la sociedad, y la selección de la representación parlamentaria. La desestructuración en curso de los partidos políticos los hace más ligeros, más capaces de ganar más seguidores, pero al mismo tiempo debilita la acción educativa y la capacidad selectiva. ¿Debería poder desarrollarse la primera si ya no existe la "escuela" de los partidos, que se distribuía sobre el territorio, a través de secciones y círculos, y en los que emergía la vida colectiva del partido-organización? ¿Cómo pueden elegirse los candidatos para las elecciones legislativas, regionales y locales, si falta la máquina de reclutamiento y de evaluación y se procede a nombrar desde arriba?

Este debilitamiento de los partidos como instrumentos para la formación de la demanda política (configuración de la ideología, programas y plataformas electorales) y de la creación de correas de transmisión se refleja en el Estado y en sus poderes locales, donde las exigencias colectivas llegan desenfocadas y los candidatos no están preparados. Esa debilidad de la máquina del partido como organización acaso sea un paso adelante para la democracia, en cuanto permite romper las fortificaciones erigidas en torno a los partidos, y extender la base electoral, iniciando así la formación de cuerpos políticos de vocación mayoritaria, que no requieren de coaliciones políticas. No obstante, genera también un vacío en la educación cívica y en la selección de la clase dirigente.

IV. ELECCIONES Y REFERENDOS

En tercer lugar, ¿es realmente el pueblo el que gobierna? En los ordenamientos jurídicos que se consideran democráticos, las decisiones no las toma el pueblo, aun cuando éstas les afecten directamente, sino que las adopta un número limitado de personas que actúan como delegados del pueblo. Se vinculan y conectan con el pueblo a través de una investidura, derivada de la elección y de un control que surge de la necesidad de someterse a verificaciones periódicas. La investidura les legitima, el control sirve para que éstos rindan cuentas de las actividades que realizan. El proceso electoral se articula en dos fases: un flujo de legitimación del pueblo hacia los elegidos, y un proceso de rendición de cuentas (*accountabiity*) de los elegidos hacia el pueblo. Si no se traba esta circularidad de legitimaciones, ese "ir y venir" entre pueblo y representantes, que se asegura sólo a través de repetidas elecciones, no se puede hablar de auténtica democracia. En el cuerpo del Estado, pues, entre organismo representativo y Gobierno se establece una segunda relación: el vínculo entre mayoría parlamentaria y Gobierno, a través del principio de la "responsabilidad ministerial" (*ministerial responsability*), también conocida en Italia como "relación de confianza".

No obstante, la elección no siempre se ha entendido como elección de personas y como delegación de poder (democracia representativa o delegada). Cuando el sufragio era muy limitado, reservado en esencia a las clases superiores, por elección se entendía la designación de capacidad. Era la manera en que los grupos más restringidos de electores (apenas unas decenas) establecían quiénes de ellos eran los que podían gestionar los problemas colectivos. Así, por ejemplo, entendían las elecciones los federalistas norteamericanos ("election of men who possess the most wisdom to discern, and the most virtue to pursue the common good of society", se lee en *El Federalista* núm. 75) y Vittorio Emanuele Orlando, fundador de la Escuela Italiana de Derecho Público y político.

Las Constituciones nacionales suelen reconocer el derecho a elegir y a ser elegido; también lo hace la Convención de la Organización de las Naciones Unidas sobre los Derechos Civiles y Políticos de 1966 (que entró en vigor diez años más tarde), en cuyo artículo 25 garantiza el derecho a elegir y a ser elegidos mediante elecciones por sufragio universal.

A su vez, los elegidos –los diputados– son los representantes de todo el pueblo, como expresamente dispone, por ejemplo, el artículo 38 de la Constitución alemana, un artículo del que el Tribunal Constitucional de aquel país ha hecho derivar el principio democrático, y sobre el que se ha pronunciado también en la sentencia de 2014 sobre el sistema europeo de estabilidad.

El carácter periódico o recurrente de las elecciones es importante. Después de unas elecciones, la mayoría podría suprimir democráticamente la democracia. Piénsese, por ejemplo, en Mussolini, quien tras las primeras elecciones se sirvió de la vía de los plebiscitos.

La investidura no es una elección porque la propuesta de las personas elegibles, llamada candidatura, corresponderá siempre a los partidos y a los grupos políticos organizados, que serán quienes presenten las listas de candidatos, y los votantes se hallan más o menos vinculados (en algunos casos pueden elegir de una lista, en otros no; por lo demás, de ordinario no pueden presentar candidaturas autónomas).

Según la clasificación aristotélica, la democracia constituye más bien una oligarquía corregida por elecciones periódicas.

Además de la democracia indirecta, hay formas de democracia directa a través de referendos. Sin embargo, estas formas de democracia directa sólo sirven para un limitado número de cuestiones o materias. Y se prestan a ciertas manipulaciones, ya que casi nunca constituyen un ejemplo de lo que debería ser una cuestión de respuesta única, una *single issue politics*: a una pregunta se debe dar una sola respuesta. Con frecuencia se utilizan como apoyo plebiscitario de personas y Gobiernos. Casi nunca es cierta la aparente lógica binaria del referéndum.

Por ejemplo, según una encuesta realizada un año después del referéndum italiano sobre la reforma constitucional (celebrado el 4 de diciembre de 2016 y que contó con una alta participación, superior al 68% de las población electoral), dos de cada tres entrevistados votaron de acuerdo con su valoración del Gobierno entonces en el poder, presidido por Renzi, más que en función de la reforma constitucional. Eso significa que la aparente claridad del referéndum (sí o no) es falaz, ya que los ciudadanos con su voto dan respuesta con frecuencia a otras cuestiones y exigencias.

Muchos estudiosos consideran los referendos confusos y peligrosos para la democracia, porque los votantes suelen estar poco informados, y no eligen en función del fondo del asunto que se les propone, sino que se orientan a la luz de otros elementos y consideraciones.

Así ha sucedido en 2016 con los referendos celebrados sobre temas variados en países como Colombia, Gran Bretaña, Tailandia y Hungría y antes en Francia, Holanda y Dinamarca. Se exceptúan las grandes opciones, como aquellas relativas al aborto y el divorcio, o entre

Monarquía o República, en 1946, en Italia. En aquella ocasión Alcide De Gasperi puso de manifiesto que sólo un referéndum podría dar el sentido democrático y pacificador que requiere una suprema decisión popular, así como el consenso explícito de la mayoría de la población.

Por último, la posibilidad de utilizar las herramientas informáticas para someter todas las decisiones al parecer de los ciudadanos resulta también utópica. Las personas con derecho a participar en la vida política (en Italia, 40 millones) deberían ocuparse diariamente de las decisiones de la comunidad, aprobando artículo por artículo las leyes, como prescribe la Constitución. Esta responsabilidad les obligaría cada día a implicarse en una decena de decisiones, para las que en gran medida no están preparados. Por este motivo, al igual que los accionistas de una sociedad anónima delegan en los administradores la función de gestionar la sociedad, las personas han de delegar necesariamente la función de decidir en sus representantes. La dialéctica entre accionistas y administradores, y entre personas y representantes constituye una parte importante de la democracia.

La democracia, entendida como democracia representativa (*electoralism*), ha sido, sin embargo, un método que también ha planteado debates. Los padres fundadores de la democracia norteamericana tenían dudas sobre si el criterio electoral constituía la mejor modalidad de elección, pensando en otro instrumento utilizado en la antigua Grecia, en Venecia y Florencia, el sorteo, como instrumento más abierto, en la medida en que da iguales oportunidades a todos.

Aun antes, en 1762, Jean-Jacques Rousseau, en su *Contrato Social*, observó que la soberanía no podía ser objeto de representación y que los denominados "representantes del pueblo" son más bien unos comisarios, concluyendo que el pueblo inglés era libre sólo durante la elección de los miembros del Parlamento: *Le peuple anglais pense être libre, il se trompe fort; il ne l'est que durant l'élection des membres du parlement; sitôt qu'ils sont élus, il est esclave, il n'est rien. Dans les courts moments de sa liberté, l'usage qu'il en fait mérite bien qu'il la perde.*

V. MAYORÍAS, MINORÍAS MÁS FUERTES, UNANIMIDAD

En suma, ¿cómo se expresa el pueblo a la hora de elegir a sus representantes? Lo hace a través de una votación en la que prevalece la mayoría. Ya Aristóteles afirmaba que "lo que decide la mayoría de los que participan en el gobierno tiene valor soberano". Ahora bien, si se toman como ejemplo dos de las democracias más antiguas del mundo contemporáneo –la británica y la norteamericana– cabe notar que la primera de ellas es gobernada por una clase política designada por casi un tercio del electorado, y la segunda por un presidente elegido por alrededor de un cuarto del electorado. Poco más de un tercio del electorado ha elegido al Presidente turco en 2014 y ha decidido la salida del Reino Unido de la Unión Europea en 2016. No prevalecen, pues, las mayorías, sino más bien las minorías que han obtenido un mayor consenso.

La misma mayoría se presta a lo que ya Alexis de Tocqueville en 1835, después de su famoso viaje a América –en teoría para estudiar el sistema penitenciario, aunque en realidad para analizar la joven y emergente democracia norteamericana–, hablara, inspirándose en James Madison, de "tiranía de la mayoría".

Los tribunales supremos han puesto de manifiesto constantemente este problema. El Tribunal Supremo británico tuvo que abordar en 2013 la cuestión acerca del derecho de voto, del que en aquel país están privados los presos, lo que tiene por consecuencia su exclusión del proceso democrático. El Tribunal sostuvo que la democracia no consiste sólo en el respeto del punto de vista de la mayoría, sino también en la salvaguarda de los derechos de las minorías. A su vez, el Tribunal Europeo de Derechos Humanos, al ocuparse del problema de las minorías religiosas en Turquía, afirmó en 2016 que "democracia" no significa que las opiniones de la mayoría deban prevalecer siempre, sino que ha de establecerse un equilibrio con la minoría, a fin de que la mayoría no abuse de su posición dominante.

Para tener a las mayorías bajo control, resulta necesario introducir contrapoderes, un sistema de controles y contrapesos (*checks and balances*). Y ello no tanto para poner arena en el engranaje (piedras en el camino) de quienes deciden, como sobre todo para establecer instrumentos capaces de corregir los errores, sin impedir con todo la toma de decisiones, en un entorno basado en el diálogo y en la competición de cara a la alternancia.

Es este un problema fundamental, que tampoco se encuentra resuelto, como en el caso italiano, donde prevalece la concepción kelseniana de la democracia, entendida como compartición –concepción ésta que ha tenido durante mucho tiempo su eco en Austria–. El predominio de esta concepción ha producido, de un lado, aplazamientos; de otro, compromisos. En última instancia, este sistema ha sido la causa de estancamientos, de ralentización del crecimiento, de subdesarrollo latente. Una reflexión sobre las causas de la crisis provocada por la

Dieta polaca podría ser de utilidad para entender cuáles han sido los resultados más recientes de una democracia que se ha visto bloqueada por esa concepción que obliga a hallar el consenso, en un país tan fragmentado políticamente como Italia.

Hay un último aspecto: se ha llegado al principio de la mayoría tras siglos de fracaso del principio de la unanimidad. Jean-Jacques Rousseau estudió el caso de la Dieta polaca, en el período de 1652 a 1791, basada en la regla de la unanimidad y del *liberum vetum*; a su juicio, aquí radicaba el origen de la crisis de la nación. Sin embargo, no sólo en los más variados órganos colegiados ha sido la unanimidad durante siglos la regla general, matizada por la *itio in partes* de las minorías disidentes, sino que asimismo encuentra una versión moderna en la práctica de las instituciones internacionales. Se trata del denominado *consensus*, el consenso, que consiste en la toma de una decisión respecto de la cual nadie considera que su opinión tenga fuerza suficiente para manifestar el disenso. El concepto se expresa más bien como ausencia de un disenso manifiesto.

He aquí otra manifestación de los límites de la democracia: la búsqueda de instrumentos que pongan a salvo a la democracia de sí misma.

VI. CÓMO ESCUCHAR AL PUEBLO: LOS SISTEMAS ELECTORALES

El pueblo no puede expresarse por medio de asambleas o de cualquier forma. Ha de hacerlo individualmente a través de los votos, bien sea para tomar una decisión (referendos) o bien para elegir a una persona. En este último caso, los votos sirven para designar a personas y se traducen en escaños parlamentarios. De ahí la importancia del sistema electoral, que constituye el instrumento para interpretar los votos y convertirlos en escaños parlamentarios. Las leyes electorales son normas muy complejas, si bien su núcleo esencial evidencia la fórmula electoral, a la que denominamos, por ejemplo, proporcional o mayoritaria.

Hay decenas de sistemas electorales, todos muy complejos. Cada uno de ellos a su vez presenta múltiples variantes, por ejemplo, con circunscripción uninominal (o de candidato único); o plurinominal (donde se eligen dos o más candidatos). No se trata aquí tanto de hacer un elenco, como de subrayar que el sistema electoral expresa un pacto entre el pueblo y el Estado, un pacto que contiene el método de interpretación para traducir los votos en escaños.

Las razones por las que se elige un sistema electoral u otro han sido muy diferentes en los distintos países democráticos a lo largo del tiempo. Por ejemplo, a mediados del siglo XIX, los liberales ingleses propugnaron el método proporcional porque temían que con el sufragio universal las élites desaparecieran, por lo que consideraron que con este criterio al menos una décima parte de los diputados provendrían de las élites.

Ahora bien, este pacto se considera de ordinario estable.

Así, en el Reino Unido el sistema electoral de base –*first past the post*– se remonta a 1832. Las sucesivas leyes electorales han extendido el sufragio y han modificado la legislación electoral del entorno. La legislación electoral constituye un bastión de estabilidad (*a bastion of stability*). Se ha hablado de la longevidad (*longevity*) del sistema electoral. En Estados Unidos, se estableció el sistema de circunscripción uninominal de mayoría simple en 1842. En Alemania, se instauró en 1953, la circunscripción uninominal, el sistema electoral del *first past the post*, y el doble voto, hoy utilizado junto a la fórmula proporcional de traducción de los votos en escaños. La circunscripción uninominal por mayoría de doble vuelta del modelo francés se remonta a la monarquía orleanista (y se utilizó durante el Segundo Imperio, en la Tercera y en la Quinta República). El análisis comparado de los orígenes de los sistemas electorales permite concluir que "electoral systems are fairly durable institutions" y que "they may not be unalterable aspects of political life, but once chosen, they tend to stay chosen".

En cambio, en un siglo y medio, Italia ha experimentado trece sistemas electorales diferentes. Este simple hecho pone de manifiesto la inestabilidad de la relación entre las clases dirigentes y la sociedad, lo cual revela precisamente una "cyclical salience of electoral reform", con una "autodefinición de las reglas del juego" constantemente renovada.

El último periodo, el republicano, se divide en dos fases históricas. En la primera, el sistema electoral le atribuye al pueblo la elección del Parlamento, y no la del Gobierno. En la segunda, a partir de 1993, se le ha querido también confiar al pueblo la elección del Gobierno. El factor determinante del cambio ha sido la actitud ante los partidos. En la primera fase eran los partidos los que elegían las alianzas y, por tanto, los Gobiernos. En la segunda, los partidos fueron privados de la facultad de formar ellos mismos los Gobiernos.

En suma, pues, los partidos, que han sido expulsados por la puerta, han entrado por la ventana, y se han arrogado el poder de elegir a los parlamentarios. De ahí el cambio de posiciones de las partes: el pueblo elige al Gobierno y a las coaliciones; los partidos eligen a los parlamentarios.

En el año 2017 se ha abierto una tercera fase, probablemente llamada a perdurar otro cuarto de siglo, ya que la fluidez del electorado y la mutabilidad de las fuerzas políticas han inducido el retorno al sistema electoral proporcional. Este sistema, a la vista de la fragmentación política, podría determinar la aparición de Gobiernos de coalición o de Gobiernos sin mayoría. Ello supone en consecuencia que no podrá conocerse cuál es el Gobierno resultante la noche de las elecciones, puesto que habrá que aguardar a las negociaciones de las fuerzas políticas y a los acuerdos parlamentarios, es decir, semanas o meses.

VII. LA RETÓRICA PARLAMENTARIA

El hecho de que el pueblo le haya conferido a un determinado grupo de personas –los parlamentarios– la tarea de adoptar decisiones generales para la comunidad (es decir, de aprobar leyes) ha dado lugar a una recurrente retórica parlamentarista que sobrevalora la función legislativa que llevan a cabo los parlamentarios. Éstos, en realidad, no han sido nunca grandes legisladores. Si se examinan la mayor parte de los actos jurídicos con fuerza de ley se observa que se trata de decisiones que ha adoptado el Gobierno por delegación del Parlamento, o bien de actos que aprueba el Parlamento, aunque a propuesta del propio Gobierno. Tal es la razón por la que Walter Bagehot, uno de los observadores más notables del Parlamento inglés, durante la época de su máximo apogeo, ponía de relieve que las funciones de un Parlamento son cinco: elegir un buen Gobierno; hacer buenas leyes; educar bien a la nación; interpretar los deseos de ésta; y dar a conocer íntegramente al país los problemas que se plateen. No obstante, añadía que la función principal consiste en la elección del primer ministro.

La retórica parlamentaria esconde un fenómeno sustancial: el de la invasión parlamentaria en la esfera del Ejecutivo. El parlamento aspira a aprobar cada vez más "leyes autoaplicativas", cargadas de un exceso de detalle, que entran en el ámbito que debiera dejarse a la Administración. Ello supone, pues, una reducción de la discrecionalidad administrativa.

¿CUÁN DEMOCRÁTICO ES UN ESTADO DEMOCRÁTICO?

ÍNDICE

Me han preguntado en más de una ocasión cuál es el estado de la democracia en Italia. Todos esperan en mi respuesta una crítica sobre la participación electoral, sobre la preocupación de los ciudadanos por la cosa pública, sobre la vitalidad de los partidos y sobre el funcionamiento del Parlamento. Yo, en cambio, comienzo desde el otro lado de la cadena: el cuidado con el que se elige a los funcionarios públicos, su empeño en el desarrollo de las funciones o del servicio público, la satisfacción de los ciudadanos ante el funcionamiento de la Administración. Porque este es el problema: recoger la voluntad del pueblo sirve, sobre todo, para servir al pueblo mismo. Aquellos que se supone que deben hacerlo también podrían ocuparse sólo de sus propios intereses. Un compromiso que ha tomado tanto de mi vida como erudito, consejero de ministros, ministro.

Un empeño que ha ocupado buena parte de mi vida como estudioso, como asesor de ministros, como ministro.

I. LOS COMPONENTES ARISTOCRÁTICOS DEL ESTADO DEMOCRÁTICO

Cuando se habla de "Estado Democrático" no se pretende decir que todas y cada una de sus partes deban inspirarse en el principio del respeto a la "voluntad popular". Aquí entra en juego la figura retórica de la sinécdoque, es decir, se toma la parte por el todo. Nadie espera que el médico del servicio sanitario sea elegido democráticamente, o que lo sea el ingeniero que se ocupa de las obras públicas, o el maestro, o el funcionario público, o el juez. Estas personas forman parte de una aristocracia (o, como luego se verá, de una "epistocracia"), son elegidas de acuerdo con el principio de igualdad con base en criterios de mérito y capacidad, por la experiencia adquirida, por sus conocimientos, su profesionalidad, de tal modo que se seleccionen a los mejores. Durante el ejercicio de su actividad no han de preocuparse de seguir los dictados del pueblo, sino reglas técnicas, generalmente estudiadas y difundidas en los cuerpos de normas profesionales. No deben responder ante el pueblo, sino obedecer a criterios deontológicos. No deben ser parciales, sino imparciales.

Todo esto no sólo no es democrático, sino que no debe siquiera verse influido por la democracia, puesto que se sustrae a su esfera de influencia. Hay una restricción del espacio dominado por las mayorías democráticas (o de las minorías más fuertes) a favor de la competencia técnica (y, por tanto, del mérito y capacidad). La representación popular no se halla en juego. Como ya observara Alcide De Gasperi en 1949 en el Congreso de Venecia de su partido –la Democracia Cristiana–, "la competencia técnica es necesaria aunque no siempre esté disponible como lo está el carnet del partido".

La democracia representa, pues, un rasgo distintivo del Estado moderno, pero éste no se construye exclusivamente sobre la democracia. Y ello se ve con mayor claridad si se tiene en cuenta la entrada en escena de otros factores, como el de la igualdad (por ejemplo, el acceso a la función pública abierto a todos en condiciones de igualdad), que simboliza uno de los componentes liberales del Estado moderno, anterior a su mismo carácter democrático. Nótese, pues, que los elementos autoritarios y liberales del Estado moderno son los iniciales, a los que se ha añadido el componente democrático. Por lo tanto, es un error empezar –como se hace con frecuencia– desde esta última, para luego pasar a las instituciones "no mayoritarias", esto es, no democráticas.

De ahí surgen una serie de interrogantes: ¿cuál es la línea que separa el elemento liberal, del democrático, surgidos ambos por oposición al origen autoritario del Estado, aunque recurran a diferentes instrumentos? ¿Hasta dónde puede extenderse la democracia? ¿Cuál es el equilibrio que ha de establecerse entre los tres elementos: autoritario, liberal y democrático? Por ejemplo, ¿el principio electivo puede aplicarse tanto a la magistratura como a la policía (como ocurre en los Estados Unidos para los jueces de algunos Estados)? ¿Hasta dónde puede extenderse el *spoils system*, es decir, la potestad de los que han resultado elegidos de cambiar a los dirigentes estatales? Consideremos brevemente estos interrogantes.

Antes de nada, ¿es oportuno el recurso a la votación popular para la elección de los jueces? Ello contribuiría a democratizar los órganos de garantía. No obstante, ¿no se debilitará al mismo tiempo su función de garantía? Los jueces elegidos de esta manera podrían interpretar mejor el espíritu del pueblo. Ahora bien, por otro lado, los tribunales deben juzgar de conformidad con el Derecho (deben, pues, respetar reglas de procedimiento, también en los casos en que crean Derecho). Será oportuno, por tanto, que formen parte de los tribunales "sacerdotes" del Derecho. Este es un primer grupo de problemas largamente debatidos, con experimentos que van desde las elecciones estadounidenses respecto de los *lower courts*, al jurado popular previsto en la Constitución italiana.

Un segundo orden de problemas se refiere a la oportunidad o no de expandir el principio democrático dentro del poder ejecutivo. Ello sucede ya en nuestros días en las elecciones en los distintos niveles (por ejemplo, regional, provincial, municipal). Sin embargo, en los ordenamientos políticos de los siglos XIX y XX se han experimentado y debatido otras formas de expansión de la democracia. La primera consiste en la rotación de los empleados públicos en paralelo a la alternancia política de los órganos superiores (esta ha sido la opinión prevalente en Estados Unidos durante la presidencia de Jackson –años treinta del siglo XIX– en el *Pendleton Act* de 1883). La segunda se localiza en la autonomía consultiva en todos los niveles de la Administración (esta experiencia tuvo una corta duración en la Unión Soviética, con los *soviets* después de 1917).

La primera de las dos formas de expansión de la participación en los dominios de la autoridad ha sido abandonada en sus formas más conocidas, y ello en nombre de la profesionalidad de la Administración (a veces matizada por la intervención de la esfera política) y del principio de igualdad. En virtud de la primera, la misma Administración no ha de ser democrática internamente, si bien ha de asegurar que se hagan realidad las decisiones adoptadas democráticamente. Con base en la segunda, todos deben tener acceso a los puestos públicos, no en función de su afiliación política, sino de su talento.

La segunda clase es más utópica y se ha tropezado con la dificultad de la disolución de la Administración en la sociedad, transformando esta última en un ejército de burócratas. Los principios de competencia y experiencia fueron en esencia abandonados.

Al igual que muchos edificios antiguos, construidos sobre casas romanas, con restos medievales, elementos renacentistas y barrocos, partes en madera, mármol o piedra, los ordenamientos jurídicos modernos, que, por decirlo abreviadamente, denominamos democráticos, se han construido con elementos de carácter y épocas diversas, que deben coexistir e integrarse. Por ello, resulta necesario preguntarse no sólo cuán democrático, sino también cuán eficiente y liberal es el poder público.

Dos ejemplos. El parlamento y los tribunales son órganos colegiados, aunque con formas diferentes de decidir. Los tribunales son instancias colegiadas de ponderación, en los que no se toma partido, sino que se razona; se intenta convencer y se es convencido. La formación de mayorías y minorías normalmente no es estable. El parlamento, al menos en la fase histórica iniciada con la aparición de la sociedad de masas (antes era en parte diferente), decide de manera opuesta, puesto que se trata de un órgano en el que se toma partido, en el que se pertenece a una parte, que se contrapone a la otra, con formaciones normalmente estables. Cuerpos con funciones diferentes operan de manera diversa.

Los poderes independientes han de tener también límites. Así, el poder judicial no puede disponer con libertad de la materia de que se trate, puesto que se halla sometido a lo que la demanda plantee: la iniciativa corresponde a otro. Ello no ocurre, por ejemplo, con la fiscalía italiana, la cual, de hecho, se desborda continuamente.

Hay, en suma, una clara línea divisoria entre organizaciones democráticas (*rectius* electivas) y organizaciones "no democráticas", denominadas también "no mayoritarias" (en el sentido de que no son electivas). No obstante, no hay duda de que, en un ordenamiento democrático, estos diversos organismos deben convivir, reconciliándose y superponiéndose, con su respectiva autonomía, aunque como partes irrenunciables del sistema. Entre las dos áreas, la necesariamente representativa y la no representativa, se da una continua tensión, particularmente evidente en las relaciones entre política y justicia, si bien presente también en las relaciones entre la esfera política y la administrativa. El ámbito no representativo, que expresa conocimiento técnico y competencia, encarna una necesidad sentida cada vez con mayor profundidad en las sociedades contemporáneas: la de "corregir" la elección del pueblo con la de los expertos. Cuestión esta complicada, que, sin embargo, será cada vez más importante en el futuro. No se puede decidir todo a golpe de referéndum, tal y como pone de relieve el *Brexit*, con la salida del Reino Unido de la Unión Europea.

La historia de la democracia está plagada de intentos de los órganos representativos de supeditar a los no representativos, intentos que han llevado a cabo gobernantes ilustrados (piénsese en el Presidente norteamericano Franklin Delano Roosvelt) o autoritarios (piénsese en el Presidente turco Erdoğan o en el húngaro Orbán). Las organizaciones no representativas constituyen un límite intrínseco a la expansión de la representatividad y de la política.

II. EPISTOCRACIA Y DEMOCRACIA

La propia Constitución italiana, como tantas otras, reconoce el componente no democrático del Estado. Ciertamente la Constitución comienza por afirmar que Italia se constituye en una República democrática.

La fórmula del Estado democrático que luce en la Constitución fue propuesta por Fanfani y Moro. Por su parte, Costantino Mortati, muchos años después, diría que el principio democrático debía permear todas la estructuras del ordenamiento jurídico.

Ello no obstante, el principio democrático no afecta a los empleados públicos, ni a los jueces y magistrados, que acceden a la función pública mediante concurso (arts. 87 y 106 en el caso de la Constitución italiana). Además, otros preceptos constitucionales (arts. 97, 98 y 108) disponen que los empleados públicos han de ser imparciales y trabajar al servicio exclusivo de la Nación, y que los jueces y magistrados gozan de independencia frente a la política, hasta el punto de que la ley puede prohibir su afiliación a los partidos políticos. Ello quiere decir que la República es democrática, pero no que toda ella sea democrática. Una parte de sus funciones se confía a personas elegidas no en función de su representatividad, sino en razón de su competencia y experiencia, medidas estas a través de técnicas distintas a las de la elección, esto es, mediante evaluaciones competitivas abiertas a todos (concursos). Además se les exige, como se ha dicho, que actúen con imparcialidad e independencia respecto de la política.

A este componente se le ha venido en llamar recientemente "epistocracia", en el sentido de que atribuye el poder a los que saben, a los competentes. Schumpeter ya había observado que en política la racionalidad no prevalece con frecuencia y que un gobierno democrático se caracteriza por la presencia de élites que compiten entre sí para conquistar el voto popular. Algunos estudios recientes han ido más allá, y han llegado a cuestionar el propio elemento democrático. Y han señalado que los votantes son en su mayoría ignorantes y están desinformados, o resultan prisioneros de prejuicios cognitivos, por lo que es positivo que la participación política disminuya. Y ello porque las multitudes incompetentes, irracionales o ignorantes toman decisiones que afectan a toda la comunidad, ejerciendo un poder que no tienen justificación. La democracia excluye a los más jóvenes del derecho al voto al tiempo que se lo reconoce a los incompetentes. El sufragio universal tiende a vulnerar el principio de competencia. La idea de la igualdad política (un ciudadano, un voto) no debe confundirse con la de igualdad en capacidad y competencia. Sobre estas consideraciones se han hecho diversas propuestas en favor de Gobiernos epistocráticos, en las que el poder político se distribuye en proporción al conocimiento o a la competencia.

III. ¿CASTA O ÉLITE?

La dialéctica "élite-pueblo", "país legal-país real", "electores-gobernantes" constituye un elemento esencial de la democracia. Ésta no puede reducirse al mero gobierno del pueblo, con exclusión de las élites.

Los mismos ilustrados que prepararon el camino hacia la democracia consideraron que la carrera, en la cúpula, debería estar abierta a los talentos y que eran necesarias escuelas y procedimientos de formación para las clases dirigentes. Inspirados en el modelo de formación y promoción de los denominados "chinos mandarines" (*Shi Dai Fu*), fueron los autores de lo que más tarde vendría en llamarse "sistema del mérito", fundado en el libre acceso de todos y en la selección de los mejores y más capaces.

En Francia, estas ideas, también sobre la base del modelo de las primeras escuelas técnicas creadas en el *Ancien Régime*, llevaron a la formación de grandes escuelas sectoriales, de las cuales salieron los líderes del Estado, tanto en el sector privado como en el público, hasta que, en 1946, el sistema se completó con la *École nationale d'administration*, durante mucho tiempo forja del "*grand commis*" o de altos funcionarios, tanto para la industria como para el Estado, y de donde surgió una "*haute fonction publique*", una función pública superior.

En el Reino Unido se apreció una necesidad análoga a mediados del siglo XIX. Fueron entonces reorganizadas las dos grandes universidades de Oxford y Cambridge, como lugares de formación y de selección, y se abolió el hasta entonces dominante sistema del *political patronage*, para introducir la selección competitiva, basada en el principio de mérito y capacidad también en la cúpula del Estado. Aún hoy, el *Se-*

nior Civil Service, la función pública superior, constituye un modelo de alta administración.

La historia italiana es diferente. En primer lugar, ha existido desde hace largo tiempo una neta separación entre los sistemas de selección y de carrera del sector público y del sector privado. En segundo lugar, en el sector público, durante casi cuarenta años, ha habido una especie de ósmosis entre política y Administración, con parlamentarios que se convertían en dirigentes de la Administración estatal y viceversa. Después los dos mundos se han separado, y en la Administración ha prevalecido un criterio de selección basado en la antigüedad y en la autoselección corporativa. Y esto ha sido así durante un siglo, hasta que a finales del XX, cuando se introdujo el *spoils system*, un sistema que ha dejado en gran medida la cúpula de la estructura administrativa a merced de la política, reforzando así una supeditación que de hecho ya existía y que consistía en la escasa capacidad de los responsables de la Administración italiana para convertirse en élite o clase particularmente cualificada.

Hubo que esperar a los años treinta del siglo XX para que se produjera un trasvase de las élites entre el sector público y el privado, en cuyos orígenes sobresale especialmente el *Istituto per la Ricostruzione Industriale* (IRI), creado en 1933. Personas como Donato Menichella, Guido Carli, Antonio Maccanico, o Gabriele Pescatore constituyen ejemplos de *grand commis* que han atravesado el sector público y privado, manteniendo siempre una relación con la política, que la sentían superior, aun cuando entendían que tenían el deber de enseñar, conscientes de la necesidad de modernizar el país, pero también de las dificultades que esas tareas comportaban. Algunas de estas personalidades, en particular Carli, ejercieron también la función de *public moralists*, por su constante presencia en el espacio público, por dirigirse a un público más amplio y no sólo al especializado, por la amplia gama de temas que abordaban, por la fuerza de su persuasión y el impacto sobre la opinión pública.

En su conjunto, y salvo en circunstancias o lugares puntuales (como el caso del IRI y del Banco de Italia entre los años treinta y finales del siglo XX), no ha habido sedes para la formación y la selección, canales de promoción o mecanismos de sucesión. De ahí la debilidad de la clase dirigente italiana, especialmente en el área pública. Debilidad esta que intentan compensar los Gobiernos y, en general, las Administraciones con el sistema que los franceses llaman "de Estado mayor". Personas elegidas en función de un doble criterio, el de la capacidad y experiencia y el de la lealtad. Este sistema se ha convertido en el motor de las Administraciones estatales y periféricas, ejerciendo con frecuencia funciones de suplencia. En cualquier caso, ha servido mediante esa suplencia para dar continuidad a la clase política y, en consecuencia, a las políticas públicas.

Periódicamente surgen críticas contra las élites. Se les acusa de constituir una especie de "subgobierno" (o Gobierno en la sombra), de ser inamovibles y de no estar sometidas a control mediante elecciones periódicas, de ser más fuertes que los partidos y la política, y de hallarse excesivamente imbuidas de una cultura jurídica. En una palabra, no serían una aristocracia, sino una casta. Estas críticas no tienen en cuenta muchos elementos, tales como la precariedad de los Gobiernos a nivel nacional, y la discontinuidad de las políticas que ello implica; la necesidad de dar un cierto grado de continuidad a la acción estatal; la incuria política hacia la Administración ordinaria, que ha sido abandonada sin una verdadera y propia dirección, ahora invadida por opciones gubernamentales. La oposición al elitismo se ha proyectado en particular sobre las retribuciones, con críticas basadas en criterios generales y abstractos, sin tener en cuenta las responsabilidades y las semejanzas con el régimen económico en sectores análogos.

En conclusión, es cierto que democracia es gobierno del pueblo. Sin embargo, habida cuenta de que éste no pueda gobernar de manera directa (no obstante las recurrentes aspiraciones de algunos movimientos populares), necesita de representantes, un cuerpo restringido de personas elegidas. Estos últimos no reflejan de forma mecánica la denominada "voluntad popular": formulan orientaciones políticas, las expresan y las someten a la supervisión de sus votantes. Como se ha puesto de manifiesto en otras ocasiones, el pueblo controla a quien gobierna, si bien es quien gobierna el que define las políticas y establece las reglas.

En este contexto, se utilizan habitualmente las expresiones "voluntad del pueblo", y "representación", si bien corren el riesgo de perder su verdadero sentido. La "voluntad popular" es una síntesis verbal, de la que ha de destacarse como elemento relevante la interpretación que hacen sus "representantes". El pueblo, a través de las sucesivas elecciones, expresa un consenso o ejerce un control. No ha de olvidarse cuanto observara Tocqueville a este respecto: "la voluntad nacional es una de las expresiones de las que más han abusado los intrigantes de todos los tiempos y los déspotas de todas las épocas". En cuanto al término "representación", las personas elegidas no transmiten al pueblo los efectos de sus propias acciones, tal y como ocurre en la institución de la representación civil. La idea misma de que el Estado deba representar la voluntad popular, en el sentido de reflejar, de constituir el espejo de un pueblo, es una idealización muy elemental de la democracia, salvo que no se acepte que ese espejo pueda estar deformado. Por ejemplo, como ya se ha notado, durante siglos muchos sectores de la sociedad han estado excluidos de la "representación" y las minorías se hallan normalmente mal representadas.

La dialéctica entre representantes y representados es esencial para la vida de la democracia. Sin embargo, si los primeros han sido mal elegidos, o interpretan de manera equivocada las demandas del pueblo, o son poco eficaces, o abusan del poder que les legitima a actuar, se convierten en un peso para la democracia, impidiéndole su plena realización.

IV. ¿DEMOCRACIA SIN ADMINISTRACIÓN?

Cuando aumenta la desconfianza en los Gobiernos y la democracia se convierte en un ideal frustrado, ganan terreno los ideales tecnocráticos. Se asienta la idea de que la democracia se basa en una *output legitimacy*, esto es, que la legitimidad de los Gobiernos se mide por el resultado, de su producto: si prestan servicios satisfactoriamente, son democráticos. Se critica la "tiranofobia". Se vuelve a replantear la opinión de que la Administración ha de responder directamente ante el pueblo, aboliendo el parlamento. No se ha construido sobre esta base el aparato estatal contemporáneo.

En los Estados modernos el poder público necesita del componente de autoridad, colocado en un plano superior y rodeado de privilegios. La explicación reside en que de esta forma se completa el circuito democrático: un brazo fuerte ha de asegurar la puesta en práctica o realización de las decisiones de quienes han sido elegidos por el pueblo. En realidad, esta es la segunda versión del componente de la autoridad. La primera y más antigua no estaba relacionada con la investidura democrática, sino más bien con el origen divino de la autoridad del rey.

En nuestro tiempo, el poder ejecutivo puede extenderse hacia algunos campos, y, en cambio, no puede penetrar en otros. Por ejemplo, la Administración puede apropiarse por la fuerza de bienes privados siempre y cuando una ley lo permita. Sin embargo, no puede posesionarse de la libertad de las personas, puesto que no sólo se trata de un ámbito que la ley regula, sino de algo que la Constitución reserva a los jueces.

Un segundo punto, esta vez controvertido, guarda relación con la posible expansión del Ejecutivo en perjuicio de los cuerpos representativos. Un ejemplo de ello lo constituye el principio francés –cuya existencia algunos también reconocen en Italia– de la reserva de funciones administrativas en favor del Ejecutivo. Esa posibilidad privaría al parlamento de su infinita o indefinida capacidad para expandir un poder del que se considera titular.

Más discutida, y de hecho objeto de numerosas reformas normativas, algunas de ellas recientes (en Italia), es la posibilidad de ampliar la posición de privilegio de los miembros del Ejecutivo: garantías de los funcionarios en el siglo XIX; inmunidad de jurisdicción penal en el siglo XX. ¿Hasta dónde cabe ampliar la ley general y el principio de igualdad en el seno del Ejecutivo, principio este según el cual el sujeto privado y la Administración pública se encontrarían en una posición de paridad, sin necesidad de dos jurisdicciones diferentes, una para la Administración pública y otra para los sujetos privados (el llamado "dualismo judicial")? E, inversamente, ¿hasta dónde ha de llegar el privilegio del Ejecutivo? Este es otro campo de tensión entre principios opuestos, el de la autoridad y el del Derecho.

El Gobierno, a modo de oligarquía en nombre del pueblo –que es lo que llamamos democracia–, requiere de instrumentos para la realización de las políticas públicas, propuestas al electorado y aprobadas por éste a través de las elecciones.

Las Administraciones públicas u otras organizaciones que las sustituyan establecen esos instrumentos. La calidad de estos instrumentos constituye condición necesaria para el éxito de la democracia, puesto que sólo a su través puede completarse el circuito democrático que podríamos expresar del siguiente modo: idearios o preferencias populares –formulación de políticas públicas– concreta implementación –satisfacción popular– y consiguiente aceptación de sus gobernantes. Por tanto, estos instrumentos son factores condicionantes y límites de la democracia, especialmente si funcionan mal.

La idea tan extendida de que el circuito democrático puede prescindir de este ulterior elemento constituye una opinión abstracta y equivocada. No basta con elegir una u otra fuerza política. Éstas deben servirse de aparatos organizativos, seguir los procedimientos definidos por la ley y gestionar los recursos humanos para que sean capaces de hacer funcionar la "maquinaria". La mayor parte de este instrumental se define e integra con la suma de los Gobiernos precedentes, y ningún Gobierno se halla en condiciones de modificarlo, hasta tal punto que se ha difundido la afirmación de que todo Gobierno gobierna con los instrumentos de Gobiernos anteriores. De ahí la importancia, fundamental para el éxito de la democracia, de la conformación del poder ejecutivo.

Al mismo tiempo constituye una idea equivocada pensar que las Administraciones modernas, integradas por millones de personas, sean instrumentos neutros o irrelevantes para los fines de la democracia, como si fueran meras máquinas. Es más, el exceso de abstracción de muchas reflexiones sobre la democracia es consecuencia de la escasa atención que se ha prestada a la dimensión ejecutiva.

V. LAS POLÍTICAS DE REFORMA ADMINIS- TRATIVA

Si las Administraciones no fueran relevantes también para la democracia, no se explicaría por qué las clases dirigentes no se concentran sólo en sus productos, en la prestación de servicios, sino que están también atentas a los procesos, a los medios necesarios para prestar tales servicios a la comunidad. En otras palabras, ¿por qué los gobiernos prestan tanta atención a la reforma administrativa, más allá de las concretas políticas públicas: sanidad, escuelas, obras públicas, etc.? No todas las reformas, sin embargo, tienen éxito, razón por la cual hay ordenamientos democráticos sin Administraciones que funcionen correctamente.

Por este motivo, casi todas las clases políticas han dedicado una atención particular al buen funcionamiento del aparato administrativo, para lo que se han inspirado bien en el ejemplo de las grandes empresas privadas, es decir, en su reordenación cada siete años aproximadamente, o bien en la vía de los ajustes continuos y progresivos.

Gracias a un testimonio de excepción, el de Guido Carli, se sabe que inmediatamente después de la Segunda Guerra mundial, la Administración italiana se hallaba en "condiciones desastrosas", estaba "de rodillas", "daba pena". Cuando se abordó la necesidad de que el Estado se involucrara en el desarrollo del Mezziogiorno italiano, De Gasperi creó una nueva estructura, la *Cassa per il Mezzogiorno*, fuera de la Administración, actuación que fue objeto de crítica en el Parlamento por parte de Epicarmo Corbino con la observación de que si el Estado quería hacer algo virtuoso debería servirse de todo menos del Estado.

En los años setenta del siglo pasado hubo tres tentativas de modernización, todas demasiado efímeras y, por tanto, con resultados no muy sistemáticos. Ya Napoleón había afirmado que era necesario emplear más carácter en la práctica administrativa que en la guerra.

En Italia la situación actual se halla marcada por la referida inestabilidad de los Gobiernos, de la que derivan políticas sin continuidad y la ausencia de un centro motriz. Otras tendencias son la obsolescencia del reparto de funciones; la insuficiente calidad del personal, en cuanto no se selecciona para el desempeño de las tareas a las que ha de dedicarse; la distribución irracional de los recursos; el corporativismo burocrático, más atento a las actividades internas que a las destinadas a la comunidad; la multiplicidad de los controles y de los controladores, ineficaces las más de las veces.

Este diagnóstico, ampliamente compartido, y que debería conducir a la modernización y a la racionalización de estructuras y procesos, sin embargo, induce a la búsqueda de atajos, dos de los cuales son relevantes y producen aún más daños al circuito democrático. El primero se refiere a la multiplicación de las leyes, que se concentra sobre todo en la adopción de leyes de carácter *autoaplicativo*. Así, el parlamento, cuanto más legisla, más constreñido estará para legislar nuevamente, en un paroxismo legislativo que acaba con la atribución de más poder aún a las Administraciones, porque sólo éstas conocen todos los entresijos de las normas, y saben cómo llevar a cabo interpretaciones rigoristas del principio de legalidad. Y, en segundo lugar, el relativo al aumento de los puestos y cargos directivos de nombramiento discrecional (los denominados *spoils systems*), evitando la selección a través de concurso. Sin embargo, estas operaciones raramente traen consigo una mejora de la profesionalidad de las Administraciones, y en cambio como consecuencia de las frecuentes sucesiones de Gobierno generan incertidumbre entre los nombrados, al tiempo que desmotivan a los que "vienen de la cantera".

La invasión parlamentaria de la Administración a la que se acaba de hacer referencia, y en la que se ha incurrido para remediar un mal que en realidad requeriría de instrumentos muy diferentes, se ve acompañada del desbordamiento de las fiscalías penal, contable y anticorrupción, investidas o *autoinvestidas* de las potestades más trascendentes para el interés general, y cuyas decisiones se sustraen por tanto del circuito democrático. Así, las Administraciones se ven encorsetadas entre el legislador y el ministerio fiscal, se quedan sin espacio, renunciando a su función específica en el proceso democrático. La ley ha de preverlo todo, hasta los más mínimos detalles. Se amplía la importancia de la intervención del parlamento, se protege al funcionario, y los controles se convierten en meros verificadores formales de que las resoluciones administrativas se corresponden con lo previsto en la ley.

Todo esto se inserta en una situación de fuerte *path dependence*, o de condicionamiento por las actuaciones o secuencias anteriores o "preexistentes", de ausencia de cultura administrativa generalizada (o de una cultura anterior al taylorismo). Y ello por la escasez de dos grandes educadores en el arte de gestionar organizaciones y procesos complejos: el cuartel y la fábrica. Estos modelos, en efecto, han sido las formas de organización y de disciplina que han enseñado a las sociedades modernas lo que supone una jerarquía y un procedimiento de actuación en sentido amplio (compensando así las deficiencias de los sistemas educativos).

En conclusión, la democracia necesita también de un brazo ejecutivo, sin el cual el circuito democrático se interrumpe: demanda de servicios públicos, interpretación de dicha demanda, medidas dirigidas a satisfacerla, prestación de servicios, satisfacción de los usuarios, apoyo que éstos ofrecen a la representación política. Ello también opera como un límite para la democracia.

VI. LA DEMOCRACIA CONTRA LA DEMO-CRACIA

El pueblo habla con voces diferentes: no se expresa sólo una vez, sino que también vota para elegir a los representantes de las Administraciones en los distintos niveles, con denominaciones distintas en cada país. En teoría, desde el punto de vista de la democracia, estos niveles organizativos o plantas no serían siempre necesarios. La "voluntad popular", mediante las elecciones llevadas a cabo en sede nacional, se podría transmitir por la vía administrativa a la organización periférica estatal.

La organización periférica del Estado es, en todo caso y a diferencia de lo que se piensa, bastante compleja. En Italia, tras una experiencia de más de ciento cincuenta años de vida local y provincial, y de poco menos de cincuenta años de vida regional, persisten redes periféricas en casi todas las Administraciones centrales. Recordémoslas. Al Ministerio del Interior están sometidas las dependencias territoriales del Gobierno (las viejas prefecturas), las comisarías y los bomberos. Al Ministerio de Justicia las oficinas notariales, las delegaciones regionales, los institutos de prevención y pena y los centros de acogida. Al Ministerio de Defensa, las regiones militares. Al Ministerio de Economía y Finanzas, las direcciones regionales y provinciales de Hacienda, así como las direcciones territoriales. Al Ministerio de Desarrollo Económico, los inspectores territoriales de las comunicaciones y las Cámaras de comercio. Al Ministerio de las Políticas agrícolas, las oficinas contra el fraude. Al Ministerio de Infraestructuras y de Transportes, las delegaciones interregionales de obras públicas. Al Ministerio de Medio Ambiente, las oficinas territoriales del cuerpo forestal del Estado. Al Ministerio de Trabajo y de Políticas sociales, las direcciones regionales del trabajo y las direcciones territoriales. Al Ministerio de Sanidad las estructuras territoriales del servicio sanitario nacional. Al Ministerio de Instrucción, Universidad e Investigación científica, las oficinas escolares regionales, las escuelas y las universidades. Al Ministerio de Bienes culturales y del turismo, los archivos del Estado, las superintendencias y los museos.

Sin embargo, no basta con que esta red de Administraciones, aun dependiendo del Gobierno, sea asimismo responsable ante al parlamento elegido por el pueblo. Se espera que el pueblo pueda expresarse con una voz distinta, eventualmente manifestado una orientación política diferente a nivel local, de la expresa en el plano nacional. Por tanto, no sólo hay organismos representativos desplegados en el territorio, sino que éstos pueden tener orientaciones políticas diferentes respecto de los propios órganos representativos nacionales.

Esta construcción dual (organización territorial del Estado y entidades territoriales representativas) nació sobre base de dos exigencias. La primera, madurada originariamente en Inglaterra y desarrollada después en Estados Unidos, consistía en permitirle a las entidades locales gobernarse desde casa. Se trata de la idea del *self-government* o autogobierno que ha tenido una gran influencia en el mundo en los siglos XIX y XX, reinterpretada por una parte de la cultura alemana como autonomía administrativa, e introducida en la cultura y en la política socialista a través de la institución de los consejos (*soviet*).

La segunda exigencia es de carácter antiestatalista y pluralista, de acuerdo con la cual las organizaciones sociales se han de manifestar directamente. Ésta contraponía la sociedad al Estado, según una intuición de Adam Ferguson, más tarde desarrollada por el filósofo alemán Georg Wilhelm Friedrich Hegel con el concepto de sociedad civil o *bürgerliche Gesellschaft*, de donde nacería la expresión tan conocida en las ciencias sociales contemporáneas de "sociedad civil". Otro alemán, Ferdinand Tönnies, en un libro de 1887, oponía el concepto de comunidad o *Gemeinschaft* (por ejemplo, la familia y el vecindario), y en donde las relaciones son inmediatas, orgánicas, totales, antiguas, duraderas y exclusivas, al de sociedad o *Gesellschaft*, donde las relaciones son artificiales, convencionales, dominadas por la racionalidad, pasajeras. En Francia, ideas similares comenzaron a madurar para revalorizar las tradiciones locales, en clave antinapoleónica, señaladamente en la obra de Benjamin Constant.

En este orden de consideraciones y concepciones, en Italia ha calado una corriente de pensamiento de inspiración católica que ha estado más directamente vinculada a la experiencia municipal. Por ejemplo, el fundador del Partido Popular, D. Luigi Sturzo, escribía en 1901: Ya es hora de que se comprenda que los organismos inferiores del Estado –región, provincia, municipio– no son simples dependencias administrativas o entes delegados, sino que tienen y deben tener vida propia, que responda a las necesidades del ambiente, que desarrollen las iniciativas populares, que den impulso a la producción y al comercio local.

Ideas similares se pondrían después de moda cuando se difundió en la cultura la noción de subsidiariedad.

Junto a los entes menores de carácter territorial o local (en especial, los municipios), figura en muchos países la planta o instancia regional. En Italia la aspiración regionalista fue originariamente parte de un diseño nacional: Marco Minghetti pretendía alcanzar la unidad a través del regionalismo. Abandonado el diseño minghettiano, nos contentamos con los municipios y las provincias, lugares vitales para la democracia, ya que el Estado unitario había nacido desde arriba, como consecuencia de una "conquista regia", aunque favorecida por los plebiscitos locales.

Sin embargo, la democracia local a lo largo del tiempo ha experimentado una vida frágil tanto por las limitaciones del sufragio, como por la amplitud de los controles estatales. Durante mucho tiempo, las Administraciones locales fueron consideradas como Administraciones estatales indirectas, que debieron actuar como mediadoras recogiendo las demandas locales y transmitiéndolas al centro, contribuyendo de este modo a legitimar a este último, aun cuando no podían satisfacer directamente los servicios locales, habida cuenta de la dependencia que tenían del centro, cuando menos desde el punto de vista financiero.

La situación cambió con la promesa del reconocimiento de las regiones que hace la Constitución de 1947 (en vigor desde 1 de enero de 1948), y que no se hizo realidad hasta 1970 (las funciones del Estado que a éstas correspondían fueron transferidas en 1972, en 1977 y en 1978, de manera progresiva). La presencia de las regiones y la eliminación de los controles estatales sobre los entes locales, mediante un "sistema presidencialista" de las provincias y municipios (1993), liberaron una buena parte de la fuerza local. Sin embargo, las regiones no han dado buena prueba de democracia. Su dimensión y número; sus fronteras, recortadas sobre la base de las estadísticas regionales, a su vez definidas sobre el trazado de las legiones militares de la antigua Roma; la debilidad de su aparato ejecutivo; el rápido surgimiento de la división entre el Norte y el Sur, también apreciable en el mundo regional; la escasez de las clases dirigentes regionales... Todos son factores que han llevado a la crisis de la democracia regional.

Para las regiones y municipios, se plantea un antiguo problema de la democracia, que fue discutido en Europa cuando se formaron los Estados nacionales de los "últimos años", es decir, el de la dimensión óptima. Baste pensar que Italia cuenta todavía con 8.000 municipios, tantos como tenía en el momento de la unificación, y que el Reino Unido, aun siendo la patria del autogobierno, tras el informe Radcliffe-Maud, aprobó en 1972 la Ley de gobierno local, que redujo drásticamente el número de autoridades locales.

Se halla en curso la transformación de las provincias, convertidas desde 2014 en entes de segundo grado con funciones propias, aunque sin legitimación autónoma. Las tareas que le fueron asignadas se han ido reduciendo, si bien, tras el fracaso de la reforma constitucional, se han quedado en un limbo.

Con la democracia local y regional la democracia se enriquece, aunque al mismo tiempo se limita, puesto que las democracias regional y local, y democracia nacional, se contraponen, en la medida en que expresan perspectivas diversas, cuando no orientaciones políticas contrarias. La competitividad entre democracia local y democracia nacional es habitual, aunque sea corregida por los poderes de control financiero del centro, lo que, sin embargo, empuja a las autoridades locales a convertirse en órganos de presión frente al Estado.

LAS DIFICULTADES DE LA DEMOCRACIA

ÍNDICE

El presidente de la Cámara de Diputados me había pedido que presidiera una comisión de estudio sobre la corrupción. Trabajamos pocos meses, en 1996, y comprobamos que la corrupción iba en aumento (no la corrupción percibida, que no constituye un indicador fiable, sino la que se mide en función del número de condenas: en el espacio de los cinco a siete años anteriores había aumentado, según los diferentes tipos de delitos, de dos a seis veces).

Hicimos un análisis de las causas, un estudio de la experiencia extranjera sobre la "lucha contra la corrupción", una lista de remedios. Indicamos también cómo aplicarlos progresivamente. Ahora existe también una Autoridad Nacional Anticorrupción. Pero ¿conocemos mejor el fenómeno? ¿Sabemos si disminuye o aumenta? ¿Medimos la eficacia de los remedios adoptados?

I. SI EL ESTADO ESTÁ EN CRISIS, ¿SE ENCUENTRA TAMBIÉN EN CRISIS LA DEMOCRACIA?

La democracia, después de múltiples experiencias en cuerpos políticos de distinto tipo (por ejemplo, en las ciudades-Estado), se ha fraguado en el Estado nación. En ese sentido, cabría preguntarse si, con la crisis que se observa con frecuencia en el Estado nación, entra en crisis también la democracia.

Los Estados estarían en crisis por muchos motivos. Algunos porque han fracasado (baste pensar en el caso de Libia), dejando territorios sin un gobierno unitario. Otros porque han dado prueba de fragilidad, dejando crecer en su propio territorio autoridades no estatales. Otros en fin carecen de poder, muestran un bajo nivel de estatalidad.

Junto a estas señales de crisis que sólo afectan a algunos Estados, se aprecian otras que afectan, en general, a todos los Estados. La principal es la pérdida del monopolio estatal en el gobierno de la economía ("desmonopolización"). La economía ya no se encuentra en las exclusivas manos de los Estados. En su momento los Estados tuvieron un control pleno de la economía. Ahora son ellos mismos los que se encuentran bajo el control de la economía. Así, por ejemplo, hay organismos privados que establecen estándares o indicadores que sirven para medir el grado de cumplimiento de sus funciones (por ejemplo, las agencias de calificación crediticia). Se halla en crisis el modelo estatal que naciera de la Paz de Westfalia, de acuerdo con el cual al Estado le correspondía el monopolio del poder, y éste se extendía sobre todos los ámbitos (militar, jurídico, económico, financiero). Las políticas se hallaban controladas por la política (nacional). En nuestro tiempo, el Estado controla tan solo una parte de las esferas sobre las que se extiende su actividad. Y a la política (nacional) se le escapan muchas políticas públicas en manos de otros sujetos.

Aun así, y a pesar de estos síntomas de crisis, los Estados demuestran que saben adaptarse al nuevo contexto dominado por la globalización. Como se ha notado, los Estados son camaleónicos, capaces de mutar; son aún muy fuertes, concentran en sus manos una buena parte de poder decisorio. Tan es así que, a pesar de los estudios realizados sobre la crisis del Estado, hay muchos otros que muestran el *rediscovery*, *resurgence*, *grand retour*, *rinascita*, el renacimiento del Estado (baste pensar en la salida de Reino Unido de la Unión Europea). El Estado constituye aún la máquina de gobierno más potente, muestra una enorme capacidad de expansión y de transformación, asegurando en todo caso lo que Michel Foucault llamó *gouvernementalité*. En particular, los Estados tienen la capacidad para afrontar, y con éxito, el problema de la multiplicación de las fuentes del Derecho que deriva de la emergencia de nuevos productores de normas. Y ello gracias también a la capacidad de los jueces nacionales para amoldarse al nuevo contexto.

Finalmente, los Estados tienen el apoyo de la Organización de Naciones Unidas, que –fundada por Estados– promueve o apoya la formación o el restablecimiento de Estados, como ocurrió con la Resolución 2259 del 23 de diciembre de 2015, relativa a la formación de un Gobierno de acuerdo nacional en Libia.

El Estado, pues, no está en crisis, y no hay que preocuparse porque la democracia pierda parte de su hábitat natural. Ahora bien, el Estado se halla en transformación y ello representa un problema para la democracia, puesto que ésta debe adaptarse a las nuevas condiciones del contexto en el que ha crecido.

Resulta, pues, importante identificar las líneas sobre las cuales se están transformando los Estados. De un lado, están reduciendo su propio perímetro, desplazando algunas de sus propias funciones al área privada; de otro lado, están constituyendo, en una dimensión más vasta, plurinacional o global, redes y asociaciones supranacionales. Los efectos de la primera transformación se examinan en este capítulo; los de la segunda, en el capítulo quinto.

II. ¿LAS PRIVATIZACIONES MINAN LA DE-MOCRACIA?

Si el Estado es el lugar donde se ha establecido la democracia, ¿no termina la reducción del perímetro del Estado con la reducción de la fuerza de la democracia, en el sentido de que puede extenderse sobre un área más estrecha?

El Estado tiene muchas opciones: puede hacer o dejar hacer; puede prestar servicios por sí mismo, o limitarse a asignar recursos a quien los presta; puede organizarse como un *holding*, o tener una organización compacta, unitaria. Después de la ola privatizadora iniciada a finales del siglo pasado aún no concluida, puede decirse que la concepción de la Administración pública y del Derecho Público es en muchos países de geometría variable. Los dogmas y los criterios conceptuales que rigieron en su momento la distinción entre lo que pertenece al Estado y lo que, por el contrario, escapa a su dominio –autoridad pública, función pública, servicio público, interés general– han devenido a su vez escurridizos. O bien florecen en su ámbito interno conceptos contrapuestos, inspirados en la acción sujeta al Derecho privado y en una relativa autonomía, o bien esos mismos conceptos se abren a una comprensión plural, operando en unas ocasiones como pertenecientes al Estado, y en otras como sustraídos a sus dominios, y, en consecuencia, al control de los órganos democráticos. En todo caso, el perímetro de la responsabilidad estatal varía, porque son diversas las funciones que la opinión pública considera necesariamente estatales en cada caso (piénsese en la manera tan diferente que tienen Italia y Francia de comportarse en relación con la gestión privada de los recursos hídricos, o en el Reino Unido y Alemania respecto de la gestión de las fuentes de energía).

Fracturada la distinción entre público y privado, el interés público a veces se presenta con vestidura privatista; otras, en cambio, acepta que se insinúe en su interior un elemento privatista que opera como una función pública.

Para superar muchas de las dificultades que se derivan tanto de estas ambigüedades, como de las diferencias entre los Derechos nacionales, la Unión Europea ha creado una figura mixta, un organismo de Derecho público, que se define por la presencia de tres requisitos: personalidad jurídica; posición de dominio; y fines de interés general que no sean de carácter industrial o comercial. Una vez que se ha roto la distinción entre lo público y lo privado, el interés público se presenta a veces con vestidura privatista, mientras que en otras acepta que se insinúe en su interior un elemento privatista que opera como una función pública.

La riqueza de la utilización de instrumentos tan diferentes destinados a fijar el equilibrio entre lo público y lo privado es enorme. El Estado, por ejemplo, garantiza las infraestructuras, pero no necesariamente tiene por qué financiarlas, construirlas, gestionarlas. El Estado, sin embargo, deberá cuando menos tomar las decisiones importantes relativas a la ordenación del territorio, a la necesidad de infraestructuras para la comunidad, al control de los monopolios naturales, las exigencias de interoperabilidad, el respeto de los estándares ambientales, los límites de aplicación de la "grandfather clause", que exige el respeto de los derechos adquiridos por el titular anterior.

La determinación de la línea divisoria entre lo público y lo privado para cada uno de estos elementos tiene implicaciones tanto para el ámbito al que se somete el control de los órganos democráticos, como para el ámbito en que les ha sido sustraído. Con las hibridaciones indicadas, el Estado

–y con él la democracia– debe realizar pactos bajo criterios y principios diversos, que no necesariamente tienen por qué estar inspirados en la noción de democracia.

Los órganos democráticos-representativos compensan esa pérdida e intentan recuperar su influencia ante ese límite de la democracia consistente en la transferencia de tareas o responsabilidades del Estado al sector privado. Para ello se ensayan fórmulas diversas, que pasan por asegurar al menos su supremacía, determinando los fines, los estándares, los controles, a fin de evitar que todas las decisiones atribuidas a otras manos escapen del reino de la democracia, es decir, de la "voluntad popular" expresada a través de sus representantes electos. Esta supremacía, sin embargo, trae consigo restricciones o límites para un ámbito que se había situado fuera del perímetro del Estado, precisamente para sustraerla de tales límites. Se desencadena así, pues, un círculo dominado por la tensión entre estas restricciones y la búsqueda de fórmulas privadas en nombre de la eficiencia, una tensión destinada a no encontrar un equilibrio estable.

El círculo vicioso resultante, y la tensión que lo alimenta, se interpretan frecuentemente como una oposición entre el sector público y el privado, que, por otra parte, afecta a otros problemas.

III. LA CORRUPCIÓN AMENAZA TAMBIÉN A LAS DEMOCRACIAS

Cuanto más avanza el área privada dentro del perímetro del Estado, más se presta la actividad pública a la corrupción. Ello constituye otro límite de la democracia porque modifica la correcta transmisión de los impulsos populares procedentes de las asambleas representativas o del Gobierno: la asignación de recursos, las decisiones de gasto, la distribución de los beneficios, la localización de las inversiones y otros tipos de decisiones se desvían así de su dirección correcta.

Sin embargo, ha de llegarse a un acuerdo acerca de lo que se entiende por corrupción, y sobre su alcance.

En cuanto a su definición, comprende una amplia variedad de delitos, así como otras conductas que no se hallan prohibidas ni sancionadas por el Código Penal, sino que están prohibidas por los códigos de conducta.

En cuanto al alcance, es importante evitar referirse al "Índice de Percepción de la Corrupción", medido por numerosos organismos (entre otros, Transparencia Internacional), basado en la corrupción percibida, que a su vez está influenciada por la cantidad y la cantidad de episodios y noticias sobre corrupción que ofrecen la televisión y los periódicos, de manera que cuantos más casos se penalizan, crece la sensación de que la corrupción se extiende (por tanto, cuanto más eficaz se muestra la política anticorrupción, se reclaman más acciones contra ella).

Es más oportuno referirse a la corrupción experimentada. Con base en los índices de percepción de la corrupción, Italia se sitúa en el sexagésimo lugar de 167 países, detrás de Estados como Namibia, Ruanda y Rumania. Las dos investigaciones Eurobarómetro y *Transparency International*, dirigidas a detectar si los entrevistados hubieran sido objeto de peticiones o sobornos, muestran en cambio que Italia se coloca en la media europea. Naturalmente, también los datos sobre la corrupción experimentada han de usarse con cautela, en función de la muestra elegida y de las preguntas realizadas a los entrevistados.

En octubre de 2017, la Oficina Nacional de Estadística (ISTAT) llevó a cabo una encuesta en la que participaron 43.000 personas de entre 18 y 80 años de edad, a las que se les pidió que relataran cualquier intento de corrupción de los que ellas o sus familias hubieran sido objeto. El resultado es que en el último año, sólo el 1,2% de las familias habían recibido peticiones de dinero, favores, regalos u otras cosas a cambio de servicios o beneficios. Los sectores más corruptos resultaron ser la atención de la salud, el sector asistencial, la justicia, las oficinas públicas; los menos corruptos, las fuerzas del orden y la educación. El centro-sur es el área donde hay mayor corrupción.

Para entender cómo la corrupción influye sobre la democracia, es necesario considerar también las causas y los costes. Entre las causas deben mencionarse la tendencia a recurrir al sector privado (*outsourcing* y *contracting out*), la ausencia de profesionalidad en las administraciones públicas, la complejidad y los tiempos de los procesos decisorios, los recursos a procedimientos excepcionales. Y ello porque las dos primeras debilitan a la Administración, y las otras dos confieren a ésta una excesiva discrecionalidad. En cuanto a los costes, los mayores son el gasto del dinero público, las desigualdades que se producen, en detrimento de los que se encuentran la puerta cerrada, y la desconfianza que genera en los ciudadanos respecto a las instituciones democráticas. Por lo tanto, la corrupción no sólo tiene costos económicos, sino también políticos, y éstos conciernen sobre todo al circuito de la democracia (apoyo a sus representantes, a quienes se confía la tarea de elegir los Gobiernos, llamados a su vez a dirigir las dependencias administrativas, para la prestación de servicios a la comunidad). Si este circuito se rompe, si se producen "pérdidas" a lo largo del mismo, disminuye el apoyo popular y surgen movimientos que conviene denominar populistas, de rebeldía, alimentados por la desconfianza, con los consiguientes peligros para la supervivencia misma de la construcción democrática.

En Italia, para "luchar", como se dice, contra la corrupción se creó la *Autorità Nazionale Anticorruzione* (ANAC), que ejerce una labor preventiva, mientras que la fiscalía lleva a cabo otro tipo de tareas de carácter represivo. La primera, en particular, cuya acción ha sido considerada como una función de salvación para la democracia y la justicia, se ha visto sobrecargada de competencias dispares y poco equipada para desarrollarlas (no sólo se ocupa de la corrupción, sino también de la transparencia, incompatibilidades e inadecuación de funciones públicas, control de los contratos públicos, medidas extraordinarias para las empresas, códigos de conducta de los funcionarios públicos, seguimiento y transparencia del gasto sanitario).

La ineficacia de la acción pública -en particular, la relativa a las grandes inversiones públicas-, también producida por la corrupción y por los remedios dispuestos para evitarla, genera una brecha entre los insumos o *input* (promesas) y los productos o *output* (resultados), descargando sobre la "clase política" los efectos de unas expectativas frustradas por la falta de resultados y la consiguiente desconfianza hacia los organismos representativos.

IV. ¿SUPONEN LAS DESIGUALDADES UNA AMENAZA PARA LA DEMOCRACIA? ¿Y PUEDE LA DEMOCRACIA AMENAZARSE A SÍ MISMA?

Las relaciones entre democracia e igualdad han sido siempre críticas. La democracia de los antiguos, la que excluía a los esclavos, o la norteamericana en tiempos de Tocqueville, en la que los Estados del Sur no concedían derechos políticos a los afroamericanos, eran democracias incompletas o no democráticas.

Sin embargo, no sólo la desigualdad en sentido formal supone una amenaza para la democracia. También las diferencias de ingresos y de educación ejercen una fuerte influencia. Ello se hace particularmente evidente en Estados Unidos donde la política requiere una enorme disponibilidad económica y las grandes multinacionales encuentran mayor eco en el Gobierno en comparación con las pequeñas empresas (baste pensar en la forma en que el Gobierno federal defendió a Apple cuando la Comisión Europea le acusó por el tratamiento fiscal privilegiado que había obtenido del Gobierno irlandés).

Una última amenaza para la democracia deriva de la constante demanda de una mayor democracia entendida como democracia directa. La tentación de una democracia ilimitada genera el riesgo de corromper la democracia misma. El "fundamentalismo democrático" y las ambiciones democráticas desmesuradas corren el riesgo de favorecer la tiranía de pequeños grupos, o de fomentar decisiones, aunque populares, dañinas. Baste pensar en los referendos en California para revocar representantes electos, disminuir impuestos, derogar leyes y redactar otras nuevas. Ello ha provocado periódicas crisis financieras en un Estado por otra parte rico. Más democracia, observan algunos estudiosos alemanes, puede significar favorecer los intereses a corto plazo o los de grupos individuales más activos y socavar la democracia representativa, o, por el contrario, el *Gemeinwohl*, lo que podríamos llamar el interés común a largo plazo.

LOS CONTRAPODERES

ÍNDICE

Fui invitado, el 30 de julio de 2009, junto a algunos jueces de otras partes del mundo, a asistir a la ceremonia que puso fin a la vida multisecular de los *Law Lords*. Ese día se tomó una decisión difícil, relativa al suicidio asistido de una persona con esclerosis múltiple. La reunión se desarrolló como de costumbre en la solemne aula de la *House of Lords*, de acuerdo con el antiguo rito. Muchos de los asistentes estaban conmovidos. Venía a morir así una tradición que se remonta al siglo XIV, la de un parlamento-juez, que contradecía el principio de separación de poderes que Montesquieu había teorizado partiendo precisamente del ejemplo inglés. Desde el 1 de octubre de ese mismo año comenzaría también en Reino Unido un Tribunal Supremo, separado del legislador y competente para enjuiciar la legitimidad de las leyes.

I. EL LÍMITE DEL DERECHO

Las decisiones populares (o, mejor dicho, las decisiones que los órganos representativos toman en nombre del pueblo) se hallan limitadas por el Derecho. El art. 1 de la Constitución italiana dispone que la soberanía la ejerce el pueblo (no la tiene atribuida el Estado o la Nación) en las formas y con los límites que la Constitución establece. Por tanto, también la soberanía popular se encuentra sujeta a límites; no puede expandirse libremente. Algunos de estos límites devienen particularmente estrechos, porque las Constituciones los proclaman "eternos": por ejemplo, el principio de la dignidad humana en la Constitución alemana, o el de la forma republicana del Estado en la Constitución italiana.

Esta última, según la Corte Constitucional italiana, contiene algunos principios supremos, los de los primeros artículos, que tendrían una particular fuerza y serían, por tanto, inmutables.

El componente *garantista* del poder público se basa en el Derecho, en los jueces, en las autoridades independientes, en el método de decisión a través del principio contradictorio (proceso). Y es históricamente anterior en el tiempo a los elementos *democráticos*, puesto que se consolidó gracias al aporte del pensamiento liberal de los siglos XVIII y XIX.

Bien sea porque tiene una vida más larga, o bien sea porque se traduce sobre todo en un método, este componente garantista se ha extendido ampliamente, introduciéndose tanto en la dimensión democrática como en la de la autoridad. La misma ley, que los representantes del pueblo votan, se halla sometida al poder judicial, que controla formalmente la observancia de la Constitución, limitando así la omnipotencia del legislador, como concluyó la conocida Sentencia *Marbury v. Madison* (1803) del Tribunal Supremo estadounidense. También la resolución administrativa que toma el Ejecutivo se sujeta al juez que controla su legitimidad o licitud, es decir, la observancia de la ley.

La tutela de los derechos individuales llega, pues, a través de dos vías diferentes. La primera, que podemos denominar *remedial* (o de carácter reparador), no deriva de la protección a través de las Cartas de Derecho o de las Constituciones, sino de los jueces, esto es, se trata de una reparación de carácter jurisdiccional. La segunda trae su causa de proclamaciones constitucionales, del reconocimiento de listas de derechos y libertades. El modelo del primero es el inglés, y proviene de un país que, aunque carece de Constitución escrita, supo, sin embargo, reconocer antes que otros la independencia y la potestad creativa del juez. El modelo del segundo es el francés, donde a partir de las Constituciones revolucionarias se comienza a establecer tablas o listas de derechos. Muchos de estos derechos, aún en nuestros días, no encuentran una tutela precisa (piénsese en el derecho al trabajo garantizado en la Constitución italiana). De ahí que la segunda vía haya sido, en más de una ocasión en el curso de la historia, objeto de críticas por parte de políticos y estudiosos ingleses (aunque también por parte de admiradores franceses del modelo inglés), que lamentan el carácter abstracto de esas proclamaciones, al no ir acompañadas de medios concretos de garantía.

Después de muchas dificultades –en el segundo caso a finales del siglo XIX, y en el primero en el siglo XX– se han admitido estos avances del Derecho en las Constituciones del parlamentarismo racionalista. El control judicial de las leyes y de los actos administrativos ha ido, pues, más allá. El Tribunal Constitucional italiano, por ejemplo, no controla sólo la constitucionalidad de las leyes, sino también la congruencia de éstas con algunos principios que él mismo ha formulado (por ejemplo, el principio de racionalidad). Los jueces administrativos, a su vez, no se limitan a controlar la estricta legalidad, sino que además enjuician si la Administración ha respetado principios que ellos mismos han establecido, aunque sea sobre la base del entramado normativo vigente.

Ello genera tensiones constantes. Desde el parlamento se elevan de tanto en tanto algunas señales de descontento hacia el Tribunal Constitucional. Por su parte, la opinión pública lamenta que todas las decisiones terminen ante un tribunal contencioso-administrativo, como por ejemplo las que se refieren al deporte, que se encuentra regulado en ordenamientos autónomos y separados, y que se gestionan a través de entidades con personalidad jurídica propia, controladas a su vez por tribunales especiales. Reaparece periódicamente el siguiente interrogante, ya presente en la democracia ateniense: si la autoridad suprema se atribuye al pueblo o al Derecho (teniendo en este segundo caso la última palabra el juez).

Por ejemplo, en 2009, el Tribunal Supremo israelí tuvo que afrontar el problema de la tutela de los derechos de los prisioneros detenidos en las cárceles, cuya gestión se hallaba confiada al sector privado. Y se cuestionó hacia qué lado debía inclinarse la balanza ante dos principios: el principio democrático, que en el caso específico implicaba el respeto de la decisión parlamentaria de servirse del sector privado para la gestión de las cárceles, de un lado y, de otro, el principio de tutela de los derechos humanos.

Otro ámbito conflictivo es el relativo a las Administraciones independientes. Se han creado en todo el mundo muchos de estos organismos reguladores o autoridades independientes, señaladamente para desempeñar funciones de carácter regulador de los servicios públicos (sectores regulados) y para resolver cuestiones de defensa de la competencia (y asegurar un mercado competitivo). Estas Administraciones se suman a los bancos centrales, que ya existían desde hacía tiempo y que a lo largo del siglo XX habían conquistado una posición de independencia. A través de este fenómeno, se le sustrae al Gobierno una parte del poder ejecutivo, y se le atribuye a aparatos independientes del mismo. Las Administraciones independientes no operan tanto de acuerdo con criterios políticos, como con técnicas y métodos de carácter cuasijudicial. Con frecuencia, los Gobiernos mismos consideran conveniente sustraer del circuito democrático a estos organismos, al menos en parte, y dejar en sus manos decisiones particularmente complejas, porque se refieren a conflictos entre grupos sociales, entre intereses que se consideran colectivos, o bien a cuestiones éticamente controvertidas.

Pero, ¿ante quién responden las autoridades independientes? ¿Resulta legítimo extraer del circuito democrático (elecciones – la responsabilidad ministerial o *ministerial responsability*) una parte de las decisiones de carácter secundario? Y, además, ¿hasta dónde puede extenderse el campo reservado a las Administraciones independientes? De aquí que se dé un movimiento continuo en la frontera entre Gobierno y autoridades independientes. Estas últimas, una vez creadas, sufren un proceso de erosión. He aquí, pues, un segundo campo de tensión entre el principio democrático y el liberal, entre gobierno del pueblo y gobierno del Derecho.

El Derecho penetra de otro modo en el ámbito de la autoridad: no sólo sustrayéndole partes o elementos que se atribuyen a una autoridad no gubernativa (por emplear otra expresión, no mayoritaria), sino también sometiendo los procesos decisorios al modelo del principio de contradicción. Es decir, aunque la toma de decisiones sigue en manos de la autoridad; ésta, sin embargo, no puede ejercer sus potestades y tomar las decisiones correspondientes aisladamente, sino que ha de informar previamente a los interesados, debatir con ellos y explicar –motivar– las decisiones que al final adopte.

También esta última expansión del Derecho en el seno de la Administración ha sido, con todo, sometida a debate:

las decisiones, en efecto, resultan costosas; se dilatan en el tiempo; debilitan la autoridad y su capacidad de ejecución; ponen en duda, en última instancia, la prevalencia del principio democrático, que requiere de la ejecución administrativa para hacerse realidad. Una Administración que carece de la necesaria autoridad de ejecución daña la democracia, porque hace imposible la materialización de las decisiones de los órganos democráticamente elegidos y, por tanto, representativos.

La fuerza expansiva del Derecho en el campo de la autoridad se manifiesta de una tercera forma. Esta consiste en imponerle a la autoridad la pérdida de sus privilegios, de un lado y, de otro, la consecución del interés público que la ley prescribe, a través de instrumentos que no sean diferentes a los que utilizan los sujetos privados. Por ejemplo, una norma dispone que el poder ejecutivo asuma la vestidura de sujeto privado y actúe como tal. A ello se opone el peligro de que el Estado, en su parte ejecutiva, pueda sucumbir frente a otros poderes privados más fuertes.

II. LA JUSTICIA CONSTITUCIONAL

El mayor límite para la democracia lo crea la justicia constitucional, que se ejerce sobre las leyes para garantizar las libertades en contra de las "mayorías pasajeras", y hace valer el Derecho (la Constitución) frente a las leyes.

Uno de los aspectos más relevantes del constitucionalismo contemporáneo reside en el crecimiento de los tribunales constitucionales. De una parte, aumenta el número de ellos; de otra, su peso resulta cada vez mayor en los procesos decisorios de las democracias modernas. Los mayores problemas sociales de nuestro tiempo han llegado ya a los jueces constitucionales: la lucha contra el terrorismo, el reconocimiento de la diversidad, las relaciones entre Derecho secular y la religión, el pluralismo de los partidos, el aborto, el divorcio, el inicio y el fin de la vida.

Los órganos democráticos ejercen una cierta influencia sobre los jueces constitucionales, (por ejemplo, los jueces son nombrados por órganos electivos, como el parlamento o el presidente). Sin embargo, los jueces operan de manera diferente en comparación con los órganos representativos. Sus procesos de toma de decisiones son secretos y se inspiran en el debate y deliberación como técnica: el fallo se alcanza por mayoría, si bien los jueces no se dividen sobre la base de su pertenencia o de su alineación, sino en virtud de la ponderación de las razones a favor o en contra de una determinada medida, del equilibrio y, en última instancia, del convencimiento (aunque haya excepciones, una de las cuales sería el Tribunal Supremo norteamericano en los últimos años). Sus decisiones derivan de principios que tienen una fuerza generadora, en el sentido de que tienden a expandirse sin que puedan compensarse con otras medidas (por ejemplo, recurriendo a "decisiones combinadas" en las que se incluyan medidas favorables para compensar las de gravamen o restrictivas) y son decisiones que se motivan, en el sentido de que el proceso decisorio se ha llevado a cabo mediante argumentos y contraargumentos.

La evolución de la justicia constitucional pone de manifiesto un problema: ¿por qué las mayorías parlamentarias se lavan las manos y prefieren someter sus decisiones al Tribunal Constitucional? Este tema ha sido objeto de numerosas investigaciones, que proponen hipótesis diferentes. Según algunos, se trata de una astuta estrategia de que se sirven las mayorías parlamentarias, bien para evitar que se vuelvan a cuestionar decisiones ya adoptadas (como sucede con el control "a priori" en Francia), o bien para "delegar" temas difíciles que éstas no pueden o no quieren, o no se encuentran en condiciones, de resolver (como en el caso de Estados Unidos). Según otros, los tribunales constitucionales son el producto de pactos o "contratos de larga duración" y de la separación del poder constituyente, del poder legislativo (el primero protege a los ciudadanos frente a las futuras amenazas provenientes del segundo). Más recientemente se ha expresado la opinión de que los tribunales constitucionales serían el fruto de un creciente desengaño ante la democracia, lo que induce a crear subsistemas dominados por la ciencia, por el conocimiento técnico o experto (*expertise*), por los profesionales, por las normas éticas sectoriales, consideradas autónomas tanto frente a los mercados como frente a la política.

A los tribunales constitucionales se les ha acusado con frecuencia de "hacer política". La cuestión es si las decisiones del cuerpo democrático por excelencia –el legislador (ya sea nacional o local)– pueden estar sujetas al escrutinio de un cuerpo que actúa como un juez neutral, no influenciado por la política ni por las decisiones democráticas. Con todo, el contraste entre democracia y justicia constitucional parece sobrevalorarse. No tiene en cuenta el hecho de que los tribunales no pueden elegir los temas sobre los que deben pronunciarse, a diferencia de los órganos representativos, que son libres de establecer su propio orden del día y sus prioridades. El acceso a la justicia constitucional es posible a través de los tribunales "inferiores", salvo en ciertos casos (como en España o Alemania, en los que también cabe el acceso directo (por medio del recurso de amparo, o del *Verfassungsbeschwerde*, respectivamente). Solo algunos tribunales, como el norteamericano, cuentan con el "docket control" (control sobre el acceso), a través del *denial of certiorari*. No se tiene en cuenta tampoco una segunda diferencia: los jueces constitucionales deciden gradualmente o por acumulación, sobre la base de los precedentes.

La difusión universal de determinados estándares, como el de proporcionalidad, hace pensar en una suerte de globalización de la justicia, avalada por otra parte a resultas del frecuente diálogo entre los jueces, lo que acentúa el límite que para la democracia supone la justicia constitucional. Y ello porque las decisiones nacionales que adoptan los órganos representativos no se someten, pues, tan sólo al control de órganos no representativos nacionales, sino también al tamiz de los jueces supranacionales. Los jueces nacionales, especialmente los constitucionales, establecen interconexiones con otros ordenamientos, difieren cuestiones nacionales a jueces supranacionales, deciden cuándo aceptar la supremacía de estos últimos y cuándo reaccionar para reducir esa supremacía.

III. LOS JUECES Y LOS FISCALES

Los órganos de representación pueden establecer normas, no regular casos concretos o singulares, cuya resolución se deja en manos de los sistemas judiciales. Este es otro límite de la democracia, que guía la justicia y la Administración –una y otra han de obedecer la ley que los órganos representativos elaboran–, si bien la democracia debe detenerse ante la decisión de los jueces. De ahí las continuas tensiones entre la política y la justicia.

Dichas tensiones se acentúan cuando los jueces se ven obligados a afrontar importantes problemas sociales y políticos. En tales casos, pueden elegir entre el *restraint* y el *activism*, siguiendo estrategias bastante diferentes: negarse a decidir, declarando la cuestión inadmisible; posponer la decisión; definirla en términos genéricos; reconocer un principio y un procedimiento, dejando autonomía para la decisión en concreto; decidir, obligando al legislador si es necesario a disponer normas diversas.

En las democracias modernas la actitud de los jueces es muy diferente. En Estados Unidos, en Reino Unido y en Francia los jueces adoptan una cierta deferencia o *deference* frente a la Administración, a la que se le reconoce en su caso un poder discrecional, y en el que no entra el juez. En Italia no hay rémora alguna por parte de los jueces, especialmente, de los penales, para controlar la acción administrativa, invadiendo su área funcional y limitándola.

Los jueces se mueven dentro del entramado que la ley establece, aunque no son sólo ejecutores de la ley. Cabe reconocer una enorme masa de *judge made laws*, de normas de creación jurisprudencial. Los jueces despliegan una labor importante a la hora de tomar decisiones, de elegir entre diversas opciones. Muchas decisiones son relevantes no sólo para las partes del proceso, sino para la entera sociedad. Es en este sentido donde se producen los más amplios contrastes entre la política, los órganos de representación y los jueces.

En los ordenamientos modernos, a diferencia de aquellos en los que los conflictos se resuelven a través de medios no judiciales (como por ejemplo en Japón), crece la demanda de justicia, y sobre el sistema judicial recae una enorme cantidad de requerimientos y demandas. En muchos casos, como en los ordenamientos anglosajones o en Francia, cuando se trata de cuestiones de menor relevancia, los jueces pueden decidir no resolver. En otros, como en los ordenamientos europeo-continentales, el sistema judicial está obligado a decidir, y ha de prepararse para responder a ese creciente número de acciones judiciales.

Este es uno de los mayores problemas de las democracias modernas. De hecho, si las cuestiones no resueltas por los jueces se trasladan al órgano político (piénsese en las cuestiones ambientales), los representantes no pueden contar con esa "descentralización" que se produce a través de las decisiones de los tribunales. Si es así, la democracia se ve sobrecargada. Si, por el contrario, los jueces amplían su propia esfera de acción y el peso de sus decisiones, cabe extraer dos consecuencias. De un lado, la "oferta" de justicia crea una creciente "demanda". De otro, el sistema judicial sustituye los mecanismos democráticos de toma de decisiones.

La situación de la justicia civil y penal italiana (a diferencia de la administrativa) resulta dramática, a causa de la enorme cantidad de pleitos aún por resolver, probablemente millones, y la demora de los procesos que, calculando las tres instancias, puede llegar a los diez años.

Otro aparato es el de la fiscalía. En Italia, la fiscalía goza de independencia incluso frente a los órganos representativos. Ejercen la acusación. No obstante, desbordan su función cuando invaden campos ajenos (valoración de daños ambientales o a la salud, ubicación de plantas industriales, evaluaciones sobre la ordenación del territorio, y así sucesivamente), o cuando recurren, mediante un uso distorsionado de la interceptación de las comunicaciones y de la detención preventiva, del procedimiento del *naming and schaming*, poco productivos desde el punto de vista procesal aunque muy eficaces en el circuito político y de la opinión pública.

Los principales efectos de este tipo de intervenciones se dan en el campo de la política y de la Administración. Por lo que hace a la primera, la acción acusatoria genera el efecto de estimular la desconfianza en el electorado. Por lo que respecta a la segunda, tiene un efecto de desplazamiento, en el sentido de que de esta manera quienes toman las decisiones en última instancia sobre las cuestiones más relevantes en materias sociales, ambientales, o de desarrollo urbanístico son los fiscales, en lugar de hacerlo los órganos representativos y las dependencias administrativas.

Un efecto final de este proceso vicioso es que los fiscales se proyectan sobre el espacio público, donde se les escucha más por los poderes que tienen que por lo que piensan, y se convierten en los candidatos naturales para los puestos más altos de esa política de la que deben permanecer distantes para el ejercicio de sus funciones.

En suma, en democracias maduras como Italia y España, y en parte también en Francia, las fiscalías (y los jueces de instrucción en España) desempeñan una pluralidad de funciones, supliendo o sustituyendo las decisiones que deberían ser de la comunidad, y ello en nombre de una independencia que se ve traicionada por su diálogo directo con la opinión pública y por las carreras políticas que se sigue para los fiscales en concreto.

Los conflictos con el cuerpo político, no obstante la falta de modernización del sistema judicial en Italia, son numerosos: muchos de carácter fisiológico, porque la justicia constituye un límite natural de la política; algunos patológicos, porque la justicia no responde a la tarea que verdaderamente le corresponde (justicia tardía es denegación de justicia).

IV. CONTROL DEL PODER Y CONTRAPODERES EN LA CONSTITUCIÓN ITALIANA Y EN SU REFORMA

La Constitución italiana nació ambivalente, con una primera parte con presbicia y una segunda con miopía. ¿A qué se debió esa miopía? La idea prevalente consistió en pensar que el poder se vuelve menos arbitrario y más moderado si encuentra límites y se controla, y si quien lo detenta no es capaz de hacerlo bien, durará poco tiempo en el cargo. De ahí los 127 Gobiernos de los primeros 150 años del Estado italiano (64 en la historia de la República hasta 2017). De los dos grandes protagonistas, Alcide De Gasperi temía que el Partido Comunista alcanzara la mayoría, y Palmiro Togliatti tenía esa misma preocupación, en sentido inverso, especialmente tras la ruptura de la alianza de Gobierno de mayo de 1947. En una entrevista concedida a Leopoldo Elia y Pietro Scoppola en 1984, uno de los protagonistas de la Asamblea Constituyente, Giuseppe Dossetti, afirmó que "los dos garantismos se combinan y producen la segunda parte de la Constitución... ambos por un exceso de miedo al otro". A esta desconfianza mutua se añadió la tendencia de los partidos a monopolizar la vida política, manteniendo débiles las instituciones.

El resultado fue el nacimiento de una democracia kelseniana, marcada más por la idea de la compartición que por la competencia, como señalara Joseph Schumpeter. Basta con leer a Hans Kelsen: "la lucha competitiva por el voto popular es la consecuencia de unas elecciones libres, y no su propósito"; "el sistema electoral más democrático es el que elimina, o al menos minimiza, la lucha competitiva por el voto popular, el sistema de representación proporcional". La voluntad de la mayoría "no se manifiesta en forma de un *diktat* impuesto por la mayoría a la minoría", porque la democracia parlamentaria "tiende a llegar a un compromiso", a "crear un punto medio entre los intereses opuestos, una resultante de las fuerzas sociales del signo contrario".

La verdadera piedra angular está en el bicameralismo y en los mecanismos de estabilización de los gobiernos. De Gasperi, abriendo la campaña electoral para la Asamblea constituyente, criticaba a "aquellos partidos que… quieren llevarnos a una República dominada por una única asamblea… asamblea que termine en el comité de salud pública y en la dictadura de un partido y de un hombre", mientras que Togliatti, el 11 de marzo de 1947, un poco antes de la ruptura de la alianza de gobierno entre la Democracia Cristiana y los partidos comunistas y socialistas, criticaba el miedo de la DC, que –decía– querer impedir una mayoría que fuera expresión de la clase trabajadora: "y para esa eventualidad se quieren establecer garantías, se quieren poner reglas... y de ahí la extravagancia del Tribunal Constitucional"; de ahí que "todo esto sea un sistema de escollos, de imposibilidades, de votos de confianza, de segundas cámaras, de repetidos referendos, de tribunales constitucionales". De Gasperi siguió pensando que "la cuestión sobre el sistema bicameral es verdaderamente esencial porque encierra un principio de equilibrio", y todavía el 31 de enero se pronunciaría a favor de aquellas "dos brazos del Parlamento iguales en autoridad".

Ante estas preocupaciones sucumbirían, pues, los defensores de la estabilidad de los Gobiernos, preocupados como estaban del precedente histórico, ya que Mussolini y el fascismo habían conseguido afirmarse a consecuencia de la inestabilidad de los Gobiernos en la etapa liberal y del abuso de los decretos-leyes. Massimo Severo Giannini, hablando el 16 de abril de 1946 en el congreso florentino del Partido Socialista Italiano, había defendido la propuesta socialista favorable a una sola cámara, a un Gobierno elegido por la cámara y a ministros nombrados por el primer ministro, a un voto de confianza sujeto a particulares cautelas (mayoría cualificada, depósito preventivo). La subcomisión de la Comisión de los 75, que redactó la Constitución, aprobó con 22 votos favorables y 6 abstenciones el orden del día del republicano Tomasso Perassi partidario de un sistema parlamentario "con dispositivos idóneos para tutelar las exigencias de estabilidad de la acción de gobierno y para evitar las degeneraciones del parlamentarismo" y asegurar así la conveniente continuidad del Gobierno. El constitucionalista Constantino Morati, miembro de la Asamblea constituyente por la Democracia Cristiana, había propuesto que el voto de confianza durase dos años. Otro miembro de la Constituyente, el constitucionalista Egidio Tosato, también elegido en las listas de la DC, tres años antes de su introducción en Alemania, había propuesto la moción de censura constructiva. Otro miembro de la Constituyente, el procesalista Piero Calamandrei, elegido en las listas del Partido de Acción, hablando el 4 de marzo de 1947 sobre el proyecto de Constitución, había mostrado su conformidad con una República presidencial "o al menos con un Gobierno presidencial", añadiendo que "de esto, que es el problema fundamental de la democracia, es decir, el problema de la estabilidad del Gobierno, no hay casi nada en el proyecto de Constitución.

Las elecciones a la Asamblea constituyente habían dado al Partido comunista y al Partido socialista casi el 40% de los votos, a la Democracia Cristiana casi el 32%. La situación se revirtió con las elecciones del 18 de abril de 1948, cuando la DC ganó con más del 48 por ciento y el Frente Popular, que reunió a los otros dos partidos, obtuvo sólo el 31 por ciento de los votos. Se hizo menos urgente proteger el pacto constitucional, por lo que se pospuso la implementación de muchas de las instituciones previstas en las Constituciones. Y la fuerza política asumida por los demócrata-cristianos dio la impresión de que no era necesario introducir mecanismos institucionales para proteger la estabilidad del gobierno.

V. EL BICAMERALISMO ¿PARA QUÉ SIRVE?

La cuestión del bicameralismo se ha reabierto en Italia en 2013 (y se vuelve a cerrar en 2016). Resulta útil volver sobre su origen y evolución histórica. Se trata de un tema tan antiguo como el Parlamento. Ahora bien, aunque la cuestión del bicameralismo ha permanecido estructural y funcionalmente igual a lo largo del tiempo, ha desempeñado un papel histórico diferente.

La *House of Lords* inglesa, la segunda Cámara más antigua, nacida en el siglo XIV, representaba a la aristocracia (los *Lords Temporal*), a los arzobispos y los obispos (los *Lords Spiritual* o *Spiritual Peers*) y a la función judicial en la cúpula (los *Lords of Appeal in Ordinary*, o *Law Lords*), mientras que la *House of Commons* representaba a las ciudades y a los condados, es decir, a los grupos menos privilegiados. Montesquieu, un gran admirador de la Constitución inglesa (tanto que Madison, en *El Federalista*, escribió que para él era el espejo de las libertades políticas), en el famoso libro XI, capítulo VI de *El Espíritu de las Leyes* (1748) escribió:

> En cada Estado hay personas que se distinguen por su nacimiento, su riqueza o sus honores; éstos no deben confundirse con el pueblo… El poder legislativo se confiará tanto al cuerpo de nobles, como al cuerpo que se elija para representar al pueblo, cada uno de los cuales tendrá su propia asamblea separada y sus propias deliberaciones y los puntos de vista e intereses separados.

El segundo modelo histórico de bicameralismo se formó en Estados Unidos, donde se mira a la madre patria, aunque desde una sociedad sin división de clases. En 1787, en *El Federalista*, Madison escribía:

> La particularidad [de la Constitución federal] radica en que una de las dos ramas de la asamblea legislativa quiere ser la representante del pueblo, y la otra, de los Estados; en consecuencia, con la primera los Estados más grandes tendrían mayor influencia, y en la segunda se favorecerá a los Estados más pequeños.

Así es cómo surge la ingeniosa invención del federalismo, con este compromiso entre representación popular y representación de los Estados. Aquí las dos cámaras juegan un papel completamente diferente al modelo inglés.

Una tercera función del bicameralismo aparece a principios del siglo XX, cuando se pone en cuestión la autoridad política del Estado como consecuencia de los movimientos promovidos por las asociaciones sindicalistas de Francia, Alemania e Italia. Éstas piden una representación propia a nivel estatal. Se comienza a hablar de crisis del Estado y de crisis de la democracia. Se construye el ideal corporativo, que luego tendría su plasmación parcial en la Cámara de los *fasci* y de las corporaciones fascistas, y también su eco en la propuesta de Mortati a la Asamblea Constituyente, no aceptada, y cuyo objeto consistía en que en el Senado pudieran participar los grupos profesionales organizados por grandes categorías de actividades económicas y sociales, para hacer de éste no una máquina que frena, sino una fórmula sensible a las exigencias del desarrollo y del progreso.

Una cuarta y última función que históricamente ha cumplido el bicameralismo se halla relacionada con la teoría de la ingeniería de la redundancia, en virtud de la cual las cámaras actúan como sistemas paralelos capaces de corregirse recíprocamente y de asegurar así la confianza en la política. Para otros, esta última función radica en las *virtues of delay*, en las virtudes o ventajas del retraso.

En Europa, con la Revolución francesa, se afianza la idea de una sola cámara, defendida sobre todo por Emmanuel Joseph Sieyès en 1789. Sieyès sostiene que el bicameralismo es un "monumento de la superstición gótica" porque reproduce la división de la sociedad en estamentos distintos: nobleza, clero, burguesía. Critica al bicameralismo porque según él produce parálisis, como dos empresas en construcción encargadas de construir el mismo palacio. Propone, en cambio, una separación entre poder constituyente y poder constituido, siguiendo un juicio de constitucionalidad.

Para completar el cuadro histórico del bicameralismo resulta necesario citar los *Souvenirs* de Alexis de Tocqueville, escritos en Sorrento en marzo de 1851, a finales de su carrera política. En esta obra se habla de una función distinta del bicameralismo. Explica que en 1848, en la Comisión para la redacción de la Constitución, de la que era miembro, se contraponían el "sabio y un tanto complicado sistema de contrapesos" y el de "un poder único, homogéneo en todas sus partes, sin barreras y, en consecuencia, impetuoso e irresistible en su proceder". Era partidario del primer punto de vista Jules-Armand Dufaure, según el cual "un poder ejecutivo ejercido por un solo hombre elegido por el pueblo sería demasiado dominante, si un poder legislativo debilitado por su división en dos brazos se colocara a su lado". En cambio, para Tocqueville, dos grandes poderes naturalmente celosos el uno del otro y obligados a una conversación eterna entre sí.... sin poder recurrir al arbitraje de un tercer poder, pronto se encontrarían en malas relaciones o en guerra y permanecerían allí hasta que uno hubiera destruido al otro.

El bicameralismo aquí se hallaba, pues, en función del sistema presidencial, con una sola cámara capaz de oponerse al jefe del Ejecutivo (según Dufaure), o bien con un segunda cámara para arbitrar los conflictos entre el presidente y la otra cámara (según Tocqueville).

Cabe ahora atar los cabos de esta consideración de carácter constitucional y reflexionar sobre la proyección del bicameralismo en el presente. Durante la elaboración de la Constitución italiana prevaleció la opinión favorable a la compartición del poder, puesto que se pretendía frenar o impedir la mayoría y el gobierno, ante el temor de que uno de los grupos que se contraponían pudiese prevalecer sobre el otro. El conflicto se explicaba por la división del mundo en dos bloques (el "telón de acero", que se acaba de levantar) y por la limitada legitimidad democrática del nuevo rumbo.

El debate sobre la reforma constitucional, setenta años después, ha vuelto a reproducir esta preocupación, a pesar de que las condiciones históricas habían cambiado completamente. La idea kelseniana de democracia sigue prevaleciendo, en lugar de la schumpeteriana, es decir, la tendencia a frenar a quien ostenta la mayoría, en lugar de oponerle un poder capaz de contrarrestarla con propuestas políticas más eficaces, y finalmente ocupar su lugar.

MÁS ALLÁ DE LA DEMOCRACIA

ÍNDICE

Un grupo de estudiosos y amigos nos encontramos una decena de veces al año para discutir sobre la Unión Europea y las cuestiones que le afectan. Lo que más escucho son críticas, juicios preocupados, algún que otro gimoteo. Expongo casi siempre opiniones optimistas. Lo hago porque pienso que hemos entrado en un proceso que podría ralentizarse, no detenerse; porque el optimismo ha dado medio siglo de paz a Europa, atravesada en la mitad del siglo anterior por dos graves conflictos; pero sobre todo porque de la Unión descienden condicionamientos o límites para los Estados nacionales, en cuyo seno la democracia "interna" no basta. Si, en efecto, este es uno de los medios para frenar el poder y llevarlo a su dirección correcta, no es suficiente un único pueblo-guardián, sino que serán necesarios también otros pueblos, que a través de sus Gobiernos, miren asimismo por sus propios intereses y vigilen las democracias nacionales.

I. EL CONTEXTO NACIONAL. *WALK OUT* Y SECESIÓN

La democracia moderna ha crecido y se ha desarrollado dentro del Estado-nación. ¿Qué ocurre si éste pierde peso e importancia, bien sea por desunión, por secesión interna, o bien por su participación en uniones más amplias a las que les transfiere parte de su soberanía? ¿Qué consecuencias tiene la circunstancia de que la sede de la democracia se vacíe?

La secesión reduce el pluralismo y la solidaridad en el seno de una nación, mientras aumenta la necesidad de coordinación entre Estados. Muchas Constituciones prohíben la secesión y proclaman y protegen la unidad del Estado. Los movimientos secesionistas y las secesiones aumentan, hasta el punto de que la palabra "secesión" no parece capaz de cubrir la multiforme variedad de realidades: algunos casos, de hecho, se puede decir que son de disolución (como en el caso de Yugoslavia), otros de "des-asociación" (como en el caso de Eritrea).

A veces, los movimientos secesionistas se ven favorecidos por la pertenencia a unidades supraestatales, como sucede en Escocia, en la medida en que su salida de Reino Unido no traería consigo un importante cambio de régimen, si Escocia mantuviera su pertenencia a la Unión Europea. El efecto desestabilizador de las regionalizaciones supraestatales para los Estados y para la democracia, en estos casos, opera desde dentro, favoreciendo la secesión, y desde fuera, con uniones más amplias.

Las secesiones, por otra parte, corren el riesgo de generar territorios no gobernados, que no constituyen sólo un problema para la democracia, sino también para las Naciones Unidas, habida cuenta de que han sido fundadas por los Estados (arts. 3-6 de la Carta de las Naciones Unidas).

En definitiva, organizaciones como las Naciones Unidas y la Unión Europea, en la medida en que promueven el respeto del Derecho y de la democracia, operan como fuerzas anti-secesionistas porque el Estado-nación es un instrumento en favor del progreso de la democracia, siendo el *locus* en el que se ha insertado y desarrollado, como se ha puesto de manifiesto tantas veces.

De estos impulsos y tendencias supranacionales se deriva una paradoja: el crecimiento de las organizaciones supranacionales debilita la soberanía estatal y facilita la secesión, aunque, al mismo tiempo, esas organizaciones se fundan en realidad sobre los Gobiernos nacionales y su unidad, ya que sin éstos esas organizaciones perderían fuerza.

Un segundo orden de problemas en la intersección entre secesión y democracia guarda relación con el derecho mismo de secesión, la titularidad del derecho y su procedimiento. La declaración de los Estados de Nueva York y Rhode Island durante el proceso de ratificación de la Constitución norteamericana dispuso que "the power of government may be reassumed by the people", que el pueblo podía recuperar el poder. Desde este punto de vista, el pueblo es titular del derecho de secesión.

Sin embargo, ¿este derecho corresponde necesariamente a las minorías o lo pueden ejercer también las mayorías? ¿No es más justo que tanto la minoría que quiere abandonar la unidad del Estado como la mayoría del país que está siendo abandonado expresen su opinión, según lo establecido por la Corte Suprema de Canadá en el caso de la secesión no realizada de Quebec? ¿Y dónde se funda el derecho de secesión? ¿En el Derecho Internacional, en el principio de la autodeterminación de los pueblos, o en el Derecho Constitucional nacional, en el principio de la soberanía popular? ¿Y en qué casos se puede ejercer este derecho? ¿Es suficiente un referéndum como el de octubre de 2017 en Cataluña (suspendido y anulado por el Tribunal Constitucional) para decidir la secesión? ¿Puede un Estado unitario reaccionar ante la decisión de una de sus partes de separarse, de la misma manera que el Estado español, que utilizó el artículo 155 de la Constitución, convocó luego nuevas elecciones autonómicas, mientras que varios tribunales, por diversos motivos, abrieron procedimientos sancionadores contra los secesionistas?

Estas son preguntas relevantes para la democracia, porque afectan a las reglas de acuerdo con las cuales ésta puede cambiar su hábitat, y, en función de la opción que se elija, la democracia verse fortalecida o debilitada.

II. LAS INTERDEPENDENCIAS

Casi 1500 millones de personas han cruzado las fronteras nacionales en 2016. Mil millones de personas pueden ya comunicarse en inglés, a pesar de la existencia de 7000 lenguas diferentes. En 2016 se comercializaron en el mundo bienes por un valor total de 19 trillones de dólares y servicios por 5 trillones de dólares. Casi todos los lugares del mundo utilizan tejidos producidos en Asia. Corea del Sur y Arabia Saudí poseen y explotan millones de hectáreas en África para cultivar productos agrícolas que se consumen en sus naciones. Las aves de corral del Véneto llegan a África para ser sacrificadas en países con normas sanitarias y medioambientales menos estrictas que las de Europa, a menos que sean reimportadas y consumidas en Italia. Ochenta y cuatro ciudades se denominan ahora "ciudades globales" por su integración económica y cultural. Jóvenes belgas de origen musulmán, entrenados entre Irak y Siria, cometieron actos de terrorismo en Francia en 2016. Cada día los jueces de todas las partes del mundo se sirven del Derecho (normas y sentencias) de otros países del mundo, como unidad de medida, para obtener inspiración, como precedentes autorizados que seguir o de los que distinguirse. Estos son algunos ejemplos de las crecientes interdependencias en un mundo cada vez más poblado (de los 2.000 millones en 1939 a los casi 7.300 millones en la actualidad).

Estas interdependencias requieren actuaciones aún más decisivas, como las que se llevan a cabo para controlar el calentamiento global, el terrorismo global, la pesca de especies marinas altamente migratorias y el comercio de residuos nucleares. Estos son ejemplos de problemas que van más allá de las posibilidades de control de los Estados-nación individuales, incluso los más exigentes. Por tanto, requieren acuerdos entre los Estados. Por ejemplo, para controlar el terrorismo mundial, las Naciones Unidas crearon una Comisión especial en 2001 y una Dirección en 2004, seguidas de un Comité de Sanciones. En 2006 se definió una estrategia (para impedir el acceso a medios financieros, armas y viajes a las personas sospechosas de terrorismo). Sin embargo, estas normas y las directivas correspondientes requieren una fuerte cooperación entre los Estados.

Ahora bien, tanto la interdependencia como la cooperación condicionan el modo de operar de las democracias nacionales. Las decisiones de los correspondientes órganos representativos se hallan limitadas a consecuencia de la necesaria interdependencia y de la decisión de cooperar, de las que no es posible sustraerse sin pagar el precio del daño colectivo resultante. El espacio que se deja libre a las democracias nacionales disminuye. Es necesario conciliar las decisiones nacionales entre sí y los estándares supranacionales. Las democracias nacionales se han de adaptar a un mundo interdependiente.

III. ¿CON LA GLOBALIZACIÓN DESAPARECE LA DEMOCRACIA?

No sólo hay interdependencias multilaterales. También hay organismos globales, a los que se les transfieren competencias estatales. ¿Qué sucede con la democracia, si el Estado transfiere sus funciones a otros sujetos distintos del Estado? ¿Y si el Estado, concebido como una entidad que representa la "voluntad del pueblo", se convierte en un organismo destinado a hacer efectivas tareas superiores, como el respeto de los derechos humanos y la garantía de la libertad de comercio? Si se renuncia a algunos de los poderes que antes estaban bajo control democrático, ¿quién controla democráticamente el ejercicio de esos poderes?

El problema surgió hace algunos años en los Estados Unidos con la asociación de los industriales. Por lo general, para que el Gobierno federal pueda tomar una decisión ha de seguir lo establecido en la Ley federal de Procedimiento Administrativo, la *Administrative Procedure Act*, de 1946. Entre otras reglas, ha de dar audiencia a los interesados, en este caso a los empresarios. Ahora bien, si Estados Unidos delega determinadas competencias a una organización internacional (por ejemplo, a la Organización Internacional del Comercio o a la Organización Internacional del Trabajo), ¿qué sucede entonces con el derecho de los empresarios a ser escuchados antes de que se adopte una decisión que les afecta? La pregunta es relevante, porque no hay área alguna (el comercio, el medio ambiente o las finanzas) donde no exista una organización de carácter global. De esta manera, surge un nuevo orden internacional y constitucional que, sin embargo, corre el riesgo de reducir los Estados nacionales a entidades administrativas con fines limitados, que se establecen más allá de las fronteras nacionales, y sin control democrático. ¿Cómo pueden los ciudadanos controlar tales poderes?

Se produce una clara pérdida de la estatalidad del Derecho, una ampliación del número de productores de normas, y una acentuación del pluralismo, fenómenos estos que también implican la apertura recíproca de los ordenamientos jurídicos nacionales, una necesaria concertación entre los distintos aparatos administrativos nacionales, un diálogo entre los jueces, la necesidad de que las culturas jurídicas abandonen su nacionalismo tradicional, abriéndose a la pluralidad de experiencias jurídicas y a su comparación. Al mismo tiempo y en consecuencia, ¿ha de entenderse que lo que estaba reservado al pueblo como entidad nacional se refiere a un concepto amplio de pueblo, como el que luce en la dedicatoria del Parque Nacional de Yellowstone, creado en 1872: "para el beneficio y el disfrute del pueblo"?

Todo ello supone ciertamente una amenaza para la democracia, bien sea porque las decisiones tomadas en cada nación por los organismos representativos habrán de detenerse ante las medidas que se adopten en un nivel superior, o bien porque tales medidas no respondan a los cánones democráticos, al no adoptarse por organizaciones representativas. Estas preocupaciones pueden verse moderadas a la luz de cuatro consideraciones:

Primero, la globalización no entraña la crisis o la superación del Estado, sino la convivencia y la colaboración de distintos tipos de gobierno, nacionales y globales. Es más, las organizaciones globales impulsan la democracia, promoviéndola e incentivándola. La Asamblea General de las Naciones Unidas, los días 6 a 8 de septiembre del año 2000, en la *Millennium Declaration*, afirmó que la Organización de las Naciones Unidas promueve la democracia y apoya su consolidación. A tal propósito se ha creado y financiado un fondo.

Segundo, aunque es difícil que se puedan establecer formas de democracia indirecta como la democracia nacional en un mundo tan poblado, no faltan organismos representativos, ya sean directos o indirectos, más allá del Estado: además del Parlamento Europeo, cabe citar asambleas y órganos representativos supranacionales del Consejo de Europa, del Mercosur (Mercado Común de América del Sur), ASEAN (Asociación de Naciones del Sudeste Asiático), OSCE (Organización para la Seguridad y la Cooperación en Europa) y OTAN (Organización del Tratado del Atlántico Norte).

Tercero, las organizaciones globales o mundiales han adoptado procedimientos para hacer partícipes a las partes interesadas, para oírles, y han instituido jueces u otros órganos cuasijudiciales para resolver las cuestiones que se planteen a través de un procedimiento contradictorio. Todas las organizaciones globales están buscando métodos para escuchar y deliberar, a fin de que participen todos los sujetos de los sectores interesados (*stakeholders*). Baste pensar en la participación de miles de organizaciones no gubernamentales (ONG) en las reuniones de los organismos internacionales que se ocupan de la protección del medio ambiente. O en la enorme difusión que, en un corto lapso de

años, han tenido los procedimientos de la llamada democracia deliberativa más allá del Estado.

Por último, con la implantación de este ideal a lo Montesquieu ("la
loi, en général, est la raison humaine, en tant qu'elle gouverne tous
les peuples de la terre; et les lois politiques et civiles de chaque nation
ne doivent être que les cas particuliers où s'applique cette raison humaine"), se han establecido comunidades epistémicas, redes internacionales de élite, que han operado como *institution builders*, utilizando
frecuentemente las instituciones americanas como "arsenal de la democracia", según la expresión usada por Jean Monnet refiriéndose a
Felix Frankfurter.

IV. CONSTITUCIÓN, DEMOCRACIA Y LEGALI-DAD EN LA DIMENSIÓN GLOBAL: EL DERE-CHO DE LOS PUEBLOS A LA DEMOCRACIA

¿Cómo han de valorarse los tres elementos –Constitución, democracia y legalidad– en la dimensión global? Este
interrogante suscita dos cuestiones fundamentales.

Primera: ¿pueden existir Constituciones, democracias y legalida-
des fuera del contexto estatal en los que estos conceptos e instituciones
han nacido? Constitución quiere decir ley fundamental y poder constituyente. ¿Dónde está el poder constituyente en la dimensión global?
Democracia quiere decir representatividad del pueblo, al menos en la
concepción de la democracia representativa. ¿Cuál es el pueblo y dónde se encuentra el parlamento cosmopolita? Y, finalmente, la legalidad
requiere de la existencia de un poder legislativo, pero ¿dónde se halla
el poder legislativo en la arena global?
Segunda: admitido que pueda hablarse de Constitución, democracia y legalidad en el plano global, ¿se les pueden aplicar a estas instituciones o elementos los mismos paradigmas que se han elaborado en
el seno del Estado, una vez descontextualizados, es decir, sustraídos
de su hábitat natural, que es precisamente el ordenamiento jurídico

nacional? La Constitución en el Estado implica una jerarquía en las fuentes del Derecho: ¿dónde está esa jerarquía fuera del Estado? La democracia entraña, de un lado, legitimación y, del otro, rendición de cuentas (*accountability*): ni una ni otra se dan en la dimensión global. Por último, la legalidad implica obediencia a las normas: el uso de la expresión *soft law* sugiere que a muchas normas globales les faltan los instrumentos para asegurar su efectividad y cumplimiento (*compliance*).

Si se abandona este plano teórico, el de las grandes cuestiones, y se pasa al plano aplicativo, al de la práctica, aparece un cuadro distinto.

En primer lugar, ¿por qué, si no hay Constitución en el plano mundial, tantos tribunales constitucionales se refieren al Tratado de la Unión Europea, al Convenio Europeo de Derechos Humanos, a convenios que garantizan los derechos humanos y los derechos del niño? Merced a estos continuos reenvíos y remisiones, que llevan a cabo los guardianes de las Constituciones nacionales a las normas que podríamos denominar constitucionales de nivel global, ¿no se produce una suerte de jerarquización operada desde abajo? Los tribunales constitucionales, en la medida en que hacen referencia a estas normas supraestatales, bien sea para interpretar las propias normas constitucionales o para reconocer la vigencia de principios supranacionales, aceptan la existencia de normas superiores. Ese fenómeno resulta reforzado cuando se suscitan cuestiones prejudiciales a tribunales "superiores". Puede decirse, pues, que de hecho hay una jerarquía implícita que se está construyendo progresivamente en los Derechos nacionales: los jueces reconocen la existencia de normas y de fuentes superiores.

Lo mismo se podría decir respecto de la democracia, ya que hay organizaciones internacionales que poseen elementos democráticos internos. Piénsese en la genial idea de Albert Thomas para la OIT, la Organización Internacional del Trabajo, con el concepto de la representación tripartita (Estado, trabajadores, empleadores) que hace realidad la representación de los intereses afectados.

En este contexto, pues, si bien es cierto que son pocos y limitados los ejemplos de democracia representativa a nivel mundial, no puede desconocerse, sin embargo, el enorme crecimiento que ha experimentado la mencionada democracia deliberativa, sobre la que volveremos, o democracia del debate o del diálogo, que tiene lugar a lo largo del proceso decisorio, y que sirve justamente para colmar las lagunas que una escasa implantación de una democracia representativa en la arena global.

Por último, cabe señalar el otro perfil –antes recordado – de la democracia en el plano global: su promoción y defensa. Piénsese en el papel que desempeña el Fondo de las Naciones Unidas para la Democracia o en el paralelo "Instrumento financiero" europeo para la promoción y el sostenimiento de la democracia y de los derechos humanos en el mundo, o en las funciones que ejercen la OSCE ya citada o la Comisión de Venecia. Estas organizaciones promueven, apoyan y con frecuencia imponen la implantación de instituciones democráticas dentro de los propios Estados nacionales. A los Estados, que se supone deberían ser los dueños y maestros de la democracia en la arena global, se les imponen desde las organizaciones globales ciertos principios democráticos, aun cuando no sea de forma coactiva.

El *United Nations Democracy Fund* actúa mediante la financiación de iniciativas de la sociedad civil, que de ese modo ejerce presión sobre los Gobiernos nacionales al objeto de aumentar el índice de democracia de los ordenamientos nacionales.

El Tribunal de Estrasburgo, desde hace algunos años, ha comenzado a cuestionar la calidad democrática de una de las democracias más antiguas del mundo, y en la que todos los Estados democráticos se han inspirado. Se trata del problema de los *voting rights* de los detenidos en Reino Unido. Desde la Sentencia *Hirst*, el Tribunal de Estrasburgo y Reino Unido mantienen un pulso tenso.

Por tanto, se han establecido estándares, "directrices operativas" (*operational guidelines*), e incluso una especie de acervo internacional de la democracia. Uno y otro se activan desde fuera, de un modo que bien podría calificarse poco democrático, por parte de agentes de una "democracia militante". Agentes que son no sólo organismos internacionales, sino también otros Estados interesados en la afirmación de la democracia en el mundo o en el área en la que operan, por razones de seguridad (un país gobernado por instituciones democráticas es menos proclive a actos de beligerancia o de violencia).

El interrogante de partida, pues, se invierte, es decir, ¿cómo puede la democracia afirmarse fuera del contexto nacional? Por el contrario, las organizaciones que operan más allá del Estado imponen a los Gobiernos nacionales el respeto de ciertos principios democráticos, en nombre del derecho de los pueblos a la democracia.

Lo mismo puede decirse del principio de legalidad. Éste se puede declinar de muchas maneras en los ordenamientos nacionales: es el principio del respeto a la ley, pero también el principio en cuya virtud se controla la legalidad de la ley. La ICANN, la organización que regula Internet, es un ente privado, una "organización no gubernamental" incardinada en el Estado de California, y uno de los reguladores globales más importantes; ejerce, pues, una función ciertamente pública. Los estatutos de la ICANN han previsto el derecho a la audiencia del interesado, o *right to a hearing*; el derecho a ser informado o *right to be informed*; el principio de participación y así sucesivamente. Ello significa que también una organización privada de alcance global se somete a la cláusula del Estado de Derecho, a los principios del *rule of law*, propios de las organizaciones estatales. En el espacio jurídico global la legalidad se halla incompleta. Los sistemas o aparatos reguladores a nivel global son cerca de dos mil; los guardianes de la legalidad global, los tribunales, son muchos menos, casi ciento veinte; a los que deben agregarse otros tantos órganos u organismos cuasijudiciales, cuya actividad se asemeja a la de los tribunales (aunque no se trata de órganos jurisdiccionales en sentido estricto, sin embargo, despliegan su actividad a través de un proceso y concluyen con una resolución sobre la observancia o no de la legalidad aplicable, y con frecuencia asumen además una función proactiva).

V. LA EUROPA QUE NOS CONTROLA: EL LÍMITE EXTERNO

Antes de que el Parlamento europeo fuese elegido por sufragio directo, se hablaba del déficit democrático de Europa.

La crítica de que la Unión Europea constituye un poder público no democrático se basa en tres argumentos. El primero guarda relación con los límites y restricciones que de la Unión Europea dimanan para las democracias nacionales; el segundo se refiere a la función de la Unión Europea como guardiana de las democracias nacionales; y el tercero a la escasa representatividad de las instituciones de la Unión.

En primer lugar, la Unión Europea condiciona a los Estados miembros, por ejemplo, mediante la prohibición del déficit público, la obligación de equilibrar el presupuesto, la coordinación y la supervisión de las finanzas públicas. Ello afecta, desde luego, al importe de los gastos e ingresos e, indirectamente, también a la asignación de recursos por parte de los Estados. De esta manera, ¿los expropia, les limita su soberanía, cuestiona en virtud de las decisiones tomadas a nivel supranacional la "voluntad popular" libremente expresada en los cuerpos representativos nacionales? Este es el punto de vista de quien examina el problema sin tener en cuenta que la democracia se enriquece a consecuencia de estos límites (las llamadas "restricciones externas"). Si la democracia pretende en última instancia limitar el poder, el hecho de que los Gobiernos nacionales tengan que responder no sólo ante sus electorados, sino también ante otros pueblos y Gobiernos europeos, con los que ha decidido unirse en un "condominio", no constituye un límite a la democracia, sino un enriquecimiento de la misma.

Una democracia concebida tan sólo en términos verticales (pueblo nacional y sus representantes) impide comprender la denominada *horizontal accountability*, esto es, la rendición de cuentas y el control en el plano horizontal.

Es esta rendición de cuentas de carácter horizontal la que hace posible, por ejemplo, que se le transmita a Polonia "una advertencia sobre el Estado de Derecho" para pedirle explicaciones sobre las reformas que ponen en tela de juicio, entre otras cosas, la independencia del Tribunal Constitucional polaco y de los jueces, y luego señalar que existe un claro riesgo de violación grave del Estado de Derecho, con la posibilidad de tomar medidas para suspender los derechos de Polonia en relación con la Unión Europea.

Ello trae como consecuencia que todo Gobierno se vea acompañado de otras instituciones políticas, de las que antes estaba separado y ante las que no respondía; que sea responsable no sólo ante su propio pueblo, sino también ante otros Gobiernos y la Comisión Europea. Es natural que en estas difíciles relaciones horizontales se inserten también problemas de carácter nacionalista, como los que se dan entre Alemania y otros países europeos, aunque en este caso en un sentido distinto al de la "disidencia espiritual de Alemania con Europa", a la que hiciera referencia Benedetto Croce en 1944.

El sistema de control y rendición de cuentas de carácter horizontal, la *horizontal accountability*, ha surgido en particular en 2015 a propósito de la gestión del déficit presupuestario griego. Dos frases resultan reveladoras: la pronunciada por el ministro alemán de economía ("el Gobierno griego ha hecho todo para perder nuestra confianza") y la repetida dos veces en las primeras diez líneas del comunicado de la cumbre europea de 12 de julio de 2015 ("la necesidad de reconstruir la confianza con las autoridades griegas"). En suma, pues, un Gobierno no sólo debe tener la confianza de su pueblo, sino además la de otros Gobiernos europeos. La relación de legitimidad democrática y de rendición de cuentas o *accountability* que une a gobernantes y gobernados se extiende también, horizontalmente, a los miembros de ese gran "condominio" que es la Unión Europea.

No se trata aquí de la confianza que un deudor ha de generar en su acreedor. No cuenta sólo la economía. En la propuesta griega, aprobada en Bruselas el 12 de julio de 2015, no se habla sólo de finanzas, sino también del código de procedimiento civil, de la modernización de la Administración pública, de su despolitización, de la independencia del Instituto heleno de estadística. En suma, ese acuerdo penetra en el corazón del Estado, no se refiere solo a la deuda y a las condiciones financieras. La misma propuesta griega de acuerdo, la del 9 de julio de 2015, proponía un nuevo Estado, y se extendía a la justicia, al mercado de trabajo y al régimen legal de las profesiones.

La trama institucional de esta compleja madeja (dos rescates, un tercero iniciado en 2015; unas elecciones griegas con un nuevo Gobierno y un nuevo mandato; una petición europea, aparentemente rechazada por el referéndum griego, seguida de cerca por una nueva propuesta griega no menos relevante que la solicitud de acuerdo que acababa de rechazarse) ha visto cómo se entrelazaban las relaciones "verticales". (Gobierno-pueblo griego) y las relaciones "horizontales" (Gobierno griego y el conjunto de Gobiernos europeos). Ello ha puesto de relieve un hecho institucional básico: los Gobiernos nacionales ya no son responsables sólo ante sus propios pueblos, sino también ante los Gobiernos (e, indirectamente, ante los pueblos) de otros Estados europeos. Si la Unión Europea es una asociación que realiza un trabajo en común, puede establecer normas de conducta para todos sus miembros y exigir que las respeten. Así que es un error hablar de soberanía herida y democracia humillada, quejarse de que el acuerdo no es entre iguales, evocar los protectorados, soliviantar el orgullo nacional.

En esencia, esta doble responsabilidad era la que deseaban los padres fundadores de Europa: consideraban que la legitimación popular no era suficiente, que la democracia debía enriquecerse, tal y como sucede cuando se entra a pertenecer a una asociación y se asume el respeto de una serie de reglas comunes.

Que ello suceda en un momento en el que la "restricción externa" –que deseaban Alcide De Gasperi y Guido Carli– recae en particular sobre un país miembro, y cuando la Unión Europea se encuentra más que nunca en el centro de la opinión pública, no es sino una segunda paradoja en esta fase de transición.

Por último, no es de extrañar que esto se produzca mediante un fuerte liderazgo de los Gobiernos que actúan concertadamente, y no a través de la Comisión Europea, como se quejan los federalistas. La Unión tiene 28 Estados (27 cuando el Reino Unido haya completado el procedimiento de salida) y 500 millones de habitantes (de los cuales habrá que restar los 65 millones de habitantes del Reino Unido). Estados Unidos, tomados como ejemplo por los federalistas, tenía originalmente 13 Estados y 4 millones de habitantes (George Washington fue elegido con 40.000 votos) y pasó por una guerra civil casi un siglo después de la unificación. Como observó Guido Calabresi, Estados

Unidos sigue estando mucho más dividido en términos de valores que Europa. Quizás por eso la Unión Europea puede sobrevivir sin un gobierno central fuerte. Sería ingenuo pensar que en el territorio donde nació el Estado-nación hace siglos, los Estados puedan ser silenciados o ver reducida su importancia a resultas de la creación de organizaciones supranacionales.

En suma, pues, la secuencia "pueblo griego – Gobierno griego – Gobiernos europeos" no constituye un límite, sino un enriquecimiento para la democracia. Permite a una comunidad política más amplia hacer oír su propia voz ante cualquiera de las unidades que la integran, establecer criterios y reglas compartidos, conferir y limitar el poder, que es el fin último de la democracia.

Este enriquecimiento de la democracia puede, por otra parte, generar tensiones, si esos límites externos se imponen de manera desigual entre las naciones, como sucedió cuando se consintieron las vulneraciones de los Tratados europeos por parte de Alemania, y no en otros casos.

VI. LA UNIÓN EUROPEA COMO GUARDIANA DE LAS DEMOCRACIAS NACIONALES

La Unión Europea no sólo impone limitaciones generales a cada uno de los Estados miembros, sino que también condiciona su estructura democrática. El artículo 7 del Tratado de la Unión Europea obliga a los Estados miembros a respetar los "valores" en los que se basa la Unión. Uno de ellas es la democracia.

En caso de riesgo de grave vulneración de la democracia, el Consejo Europeo, por mayoría cualificada, oirá al Estado de que se trate, le formulará recomendaciones y le invitará a presentar sus observaciones. En caso de violación grave y persistente, podrá suspender por unanimidad algunos de los derechos del Estado miembro, incluido el derecho de voto en el Consejo.

De esta manera, la Unión Europea aísla del resto de sus miembros a aquellos Estados que vulneren los "valores" fundamentales y comunes de sus tradiciones constitucionales. De ahí que la calidad democrática interna de los Estados constituya un problema que afecte a todos los países europeos, a los que les compete la salvaguarda del orden constitucional europeo, a través de un sistema de garantía recíproca. A nivel supranacional, pues, la democracia se requiere, se impone y protege.

VII. EL DÉFICIT DEMOCRÁTICO EUROPEO

El tercer problema, relacionado con el primero y el segundo, radica en la calidad democrática de la misma Unión Europea. Los críticos, en efecto, se preguntan si un organismo que en sí mismo no es democrático puede imponer reglas a los Estados nacionales que se gobiernan democráticamente. Para responder a esta pregunta, resulta obligado considerar que la Unión Europea está compuesta de diversas instituciones: unas estrictamente comunitarias (la Comisión y los dos Tribunales); otra de carácter plurinacional o popular (el Parlamento); otra interadministrativa (los Comités); y finalmente un órgano de carácter intergubernamental (el Consejo). Estos elementos se conjugan entre sí de manera compleja: por ejemplo, el Consejo adopta con frecuencia sus decisiones por unanimidad, y no por mayoría; la Comisión plantea decisiones "en bloque" (como se ha notado antes, ampliando las materias objeto de negociación de modo que, en caso de dificultad, puedan hacerse concesiones recíprocas); la actividad de la Comisión se encuentra altamente procedimentalizada y sometida al principio de transparencia; y buena parte de las decisiones europeas se encuentran en manos de las Administraciones estatales, que son las únicas que pueden asegurar la ejecución del Derecho de la Unión.

Pero, sobre todo, el artículo 10 del Tratado de la Unión Europea establece que el funcionamiento de la Unión se basará en la democracia representativa. El Parlamento Europeo es elegido por sufragio universal por los ciudadanos de Europa. La legitimidad democrática es doble: a través de los pueblos de los Estados miembros, representados por sus Gobiernos, y a través de los ciudadanos de la Unión, representados por el Parlamento.

No obstante, los Estados miembros eligen a los miembros de la Comisión y sus decisiones requieren el acuerdo del Consejo Europeo o del Consejo de Ministros. Ello significa que la cadena de transmisión entre la demanda popular y las políticas europeas no es similar a la nacional. La relación que se establece entre el Parlamento Europeo y el Ejecutivo es diferente y menos inmediata que la que se da a nivel nacional, debido a la duplicidad de los Gobiernos europeos (Comisión y Consejo) y al elevado número de temas de los que se excluye a la Comisión, dejando las decisiones al método intergubernamental y, por tanto, al Consejo.

Esta ambigüedad se explica por la tendencia de los Estados nacionales a atribuirle tareas a la Unión reservándose su control, a través del Consejo. Representa un paso adelante, en el sentido de que esas tareas no las gestiona cada Estado de forma aislada, sino en comunión con los demás Estados. Pero mantiene el control estatal sobre su puesta en marcha. De un lado, limita los poderes del Estado; de otro, también los amplía en la medida en que permite que cada Gobierno nacional tenga voz y voto en la materia, aunque se trate de otros Estados.

Se puede ilustrar esta ambigüedad con el referéndum británico (y los que le sigan) sobre la adhesión a la Unión y con la afirmación, utilizada por el Tribunal Constitucional alemán, de que los Estados son los "dueños de los tratados". En ambos casos, se hace valer la soberanía estatal para condicionar la pertenencia a la Unión, o la expansión de sus competencias, como si la propia Unión no pudiera vivir una vida propia y fuera un acordeón en manos del músico, que podría ampliar o reducir su longitud y fuerza.

En conclusión, a las limitaciones aparentes, que en realidad enriquecen la democracia, se añaden otros límites que provienen de la Unión Europea, algunos de los cuales inciden sobre la estructura democrática de los Estados miembros. Sin embargo, éstos mantienen el poder de expresarse, bien sea colegialmente en el seno del Consejo europeo, o individualmente, a través de referéndum o del poder que les resta para pronunciarse sobre la ampliación de competencias de la Unión. La democracia europea, en definitiva, es diferente de la democracia nacional: pertenece a otro tipo de democracia, más incompleta y aún en desarrollo.

La situación actual se considera en términos generales insatisfactoria. Para algunos, el elemento erróneamente calificado de "federalista" debería ampliarse, con la paralela limitación de los poderes de los Gobiernos nacionales que se ejercen colegiadamente en el seno del Consejo y la introducción de un mecanismo de confianza plena entre el Parlamento Europeo y la Comisión. Para otros, los ciudadanos europeos deberían estar llamados a expresarse colectivamente, lo que implicaría el nacimiento de verdaderos partidos europeos (los que existen en el actual Parlamento son federaciones de partidos nacionales) y referendos europeos, en los que se pongan de manifiesto mayorías que puedan prescindir de las que se forman en cada nación. De ese modo, se consolidaría una opinión pública genuinamente europea, lo que ayudaría a aliviar la presión ejercida por las naciones individuales.

PERSPECTIVAS ACTUALES

ÍNDICE

Mientras repasaba las muchas notas y documentos que había guardado para escribir este libro, me encontré con algunos artículos de *The Economist* de hace cinco años, en los que se presentaba un relato de los fracasos causados por la "democracia extrema" en uno de los Estados más ricos de los Estados Unidos, California. El semanario inglés explicaba que la democracia directa, con la iniciativa popular de las leyes, se había convertido en rival de la democracia representativa: los grupos de interés y los lobbies se aprovechan de ella para recortar impuestos y ampliar servicios, a menudo especulando a espaldas de la comunidad, que no reacciona porque no está bien informada. Con el resultado de que los servicios más importantes, como la escuela pública, se encuentren crónicamente faltos de medios. Conclusión de *The Economist*: una consecuencia no deseada de este tipo de democracia directa es poner en peligro la propia democracia.

I. RELIGIÓN Y DERECHO SECULAR

Las democracias modernas se encuentran en una fase de transición. De un lado, aumentan en número y se expanden las instituciones y procedimientos democráticos. De otro lado, aumenta la desilusión sobre sus virtudes y capacidad, y muchas instituciones democráticas revelan un alto grado de obsolescencia. De una parte, las democracias afrontan dos grandes problemas diferentes, el que proviene de la religión y el que deriva del terrorismo; ambos constituyen una amenaza. De otra, las democracias experimentan modos y reglas nuevas, y con ello mejoran.

Un primer peligro para la democracia deriva de la religión. No todas las religiones representan, en los mismos términos, un problema para la democracia. No es el caso del cristianismo, que acepta la distinción entre la esfera de la religión y la esfera del Estado, y de hecho ha aceptado en el Derecho Canónico el principio "quod omnes tangit ab omnibus approbetur". Como reacción a las guerras de religión que siguieron a la Reforma del siglo XVI, el cristianismo inició un proceso de secularización y de contextualización de la revelación divina y los textos sagrados, y se inspiró en los principios de tolerancia y pacificación de las sociedades divididas.

Sin embargo, las religiones que mantienen el principio de la no separación o de la indistinción, según el cual el Derecho y la religión, el Estado y la religión, no se hallan separados, constituyen un problema para la democracia. Baste pensar en la Constitución de Pakistán, según la cual todas las prescripciones del Derecho, obra del hombre, han de ser conformes con los mandatos del Islam, contenidos en el Corán y la Sunna del Santo Profeta.

En muchos ordenamientos jurídicos de este tipo se plantean ciertos problemas acerca de la relación que han de mantener las normas generales y las normas religiosas: ¿han de seguirse los principios universales, o deben respetarse las diferencias? ¿En qué medida puede coexistir el respeto de la diversidad con la unidad de los ordenamientos jurídicos nacionales? Si se respetan normas diferentes en función de la diversidad de las religiones, ¿no cabe el riesgo de volver a los sistemas como los medievales, con derechos personales o de carácter estamental? ¿Puede llegarse al extremo de que cada uno elija el tipo de normas y jurisdicciones que prefiera? ¿Qué límites, por otra parte, cabe oponer a la secularización del Estado? ¿Cómo regular las *res mixtae* (educación, salud, matrimonio)? Sobre estas cuestiones, en lo que hace a algunos aspectos (la propiedad de una iglesia, el matrimonio, el repudio de la esposa por su marido), se han pronunciado algunos tribunales supremos, como el estadounidense, el indio, el canadiense y el italiano.

Cuando se dejan las relaciones entre sujetos privados y se contemplan las relaciones con los poderes públicos, los problemas resultan aún más complejos. Cabe preguntarse si quienes pertenecen a una religión que no conoce límites frente al Derecho como en el caso de la *shari'a* ha de seguir las reglas que derivan de su fe, o las impuestas democráticamente por el Estado en el que viven. Si el gobierno viene dado y ordenado por Dios, si la autoridad de los que mandan y gobiernan en la tierra también es creada por la divinidad, si la ley y el Derecho son instituidas por la autoridad divina y en alta medida tienen carácter prepolítico, si la legitimación política se funda en la ejecución del Derecho divino, si la autoridad del pueblo está obligada a acatar la autoridad divina y la participación popular no es necesaria para legitimar los mandamientos y órdenes de la comunidad, los fundamentos mismos de la democracia se hallan en cuestión.

La extensión de la religión por el mundo del Derecho pone en tela de juicio el principio democrático que rige el ordenamiento jurídico. En ese sentido, resulta difícil establecer qué autoridad es la que está legitimada para disponer las normas, al igual que no es fácil definir a qué normas se han de someter los ciudadanos. Se cuestionan así, pues, algunas de las bases de la democracia: especialmente, la que identifica el órgano representativo como el órgano legitimado para legislar, y los actos que de él se derivan como fuente para establecer limitaciones a los ciudadanos; y también la base que permite a los miembros de la comunidad influir en la actividad normativa a través del órgano representativo (no sólo a través de las elecciones).

II. TERRORISMO Y DEMOCRACIA

El terrorismo, especialmente el internacional, representa una amenaza para la democracia, bien porque desestabiliza los ordenamientos jurídicos a causa de fuerzas ajenas a éstos, o bien porque les obliga a incorporar medidas que se dictan con el objeto de atender las exigencias de garantía y seguridad que demandan los ciudadanos, función ésta primaria y esencial del Estado. Las razones del pueblo, representadas en el parlamento, se contraponen a las del Derecho creado propiamente por los jueces. La exigencia de seguridad se toca con las instituciones de garantía.

Un ejemplo del conflicto entre ambos polos –seguridad y garantía– lo proporciona la solución ideada por Estados Unidos para evitar que sean de aplicación las leyes votadas en el Congreso y el principio del "Estado de derecho". Y consiste en situar la prisión de Guantánamo fuera del territorio nacional, para evitar que las personas acusadas de terrorismo tengan un proceso ordinario, o la de trasladar a los sospechosos a Estados que no disponen de instituciones y procedimientos de garantía; o –peor aún– adoptar leyes que permitan tratar como irregulares a los inmigrantes capturados en la frontera, también a los que han sido detenidos en una zona comprendida a menos de cien millas de la frontera, privando así a los afectados del *due process of law*, del derecho al proceso debido, y aplicando en esa zona del territorio nacional dos regímenes jurídicos diferentes, en función de la persona a la que se apliquen.

Las reacciones de los Estados frente al terrorismo han generado muchos problemas: ¿existen áreas en las que los derechos fundamentales no se protejan? ¿Bastará con llevar a cabo, en el extranjero, una actividad contraria al *rule of law* para que un Estado no sea considerado como responsable de tales actividades? ¿Es suficiente con modificar las leyes nacionales para privar de los derechos fundamentales, o hay límites universales o supranacionales que lo impidan? Sobre estos problemas también se han pronunciado los Tribunales de la Unión Europea, el Tribunal de Estrasburgo, la *High Court* inglesa y el Tribunal Supremo americano.

Más grave es el coste de la lucha contra el terrorismo. Se ha estimado que en los últimos cincuenta años han sido asesinadas en Estados Unidos por terroristas unas 350 personas, y que el coste de los atentados del 11-S en 2001 alcanzaron los 30.000 millones de dólares, pero la reacción costó la vida de 6.000 soldados, 2.000 civiles utilizados en la guerra, entre 100.000 y 200.000 civiles inocentes en Afganistán, Pakistán e Irak y entre 3 y 4 billones de dólares.

III. ¿CÓMO AMPLIAR LA DEMOCRACIA? LA DEMOCRACIA DELIBERATIVA

Si algunas religiones y el terrorismo representan una amenaza para la democracia, ¿hay, por otro lado, formas de fortalecerla y expansión?

Contémplese la situación actual. Los votantes disminuyen, los partidos se vacían, los sindicatos pierden voz. ¿Se abre una brecha entre los ciudadanos y las instituciones? El muro entre "país real" y "país legal" –como se dijo en el siglo XIX– constituye un problema recurrente, que reaparece en formas distintas en todas las democracias. En su momento el problema radicaba en la extensión del sufragio. Y una vez conquistado el sufragio universal, la cuestión radica en los canales de comunicación entre Estado y sociedad, antes abiertos por los partidos y los sindicatos (trabajadores y empleadores). Ahora bien, éstos cuentan cada vez con menos afiliados, resultan menos vitales, se hallan menos extendidos por el territorio. Por tanto, ya no garantizan la transmisión y canalización de las cuestiones sociales a las instituciones, que constituye su principal tarea.

Al mismo tiempo, en tantas instituciones se aprecia la necesidad de una cierta centralización de los poderes a consecuencia de la globalización. Baste pensar en las distintas cumbres europeas y mundiales, en las que no pueden participar los Gobiernos en su conjunto, sino tan sólo los jefes de los Ejecutivos.

Este malestar, si no crisis, de la democracia surge en una situación en la que, paradójicamente, la oferta de instituciones democráticas aumenta, los propios partidos se abren, el "capital social" crece. Piénsese por ejemplo en la difusión mundial de entidades intermedias entre el nivel municipal y el estatal, con diversas denominaciones y variedades (territorios, regiones, comunidades), para dar otra voz a los ciudadanos; en la introducción de elecciones primarias basadas en el modelo norteamericano, para aumentar la calidad democrática de los propios partidos (que, de instrumento de la democracia, pasan a convertirse en objetivos de la propia democracia); en el aumento del "capital social", constituido por redes de cooperación que enriquecen el tejido comunitario y dan a los ciudadanos la oportunidad de "desarrollar su propia personalidad", tal como afirma la Constitución italiana.

Esta aparente contradicción se explica sólo de una manera: junto al aumento de la oferta de democracia, a la apertura de los partidos y al crecimiento social, se registra al mismo también una mayor demanda de democracia. Después de un ciclo secular o semisecular –en función de los Estados– de vida del sufragio universal, los ciudadanos se sienten dueños del Estado (en el sentido de que crece su deseo de participación); y ello pone de manifiesto la debilidad original de la democracia moderna, al tiempo que su amenaza con la demanda de una "democracia ilimitada", típica de muchas especies de populismo.

No se define como una asociación, sino como una plataforma. Tiene un "non statuto" y una serie de reglamentos. El epicentro se halla en su web, y la red juega un papel clave. Agrupa a través de su red a los candidatos, que deberán dimitir si incumplen con lo establecido en los códigos de comportamiento. Celebra una asamblea mediante votaciones en red, un consejo y un comité de apelación. Sin embargo, es al "jefe político", llamado también garante, a quien traslada las decisiones fundamentales.

Un ejemplo de ello se halla en el movimiento denominado 5 Estrellas (agua, ambiente, transportes, conectividad, desarrollo). Posee una organización fluida, que es una mezcla de populismo y de cesarismo. Consiste en dos asociaciones, que se sirven, mediante acuerdos con una tercera asociación, de la plataforma "Rousseau". Cuenta con un estatuto, un código de ética, un organigrama fluido y un reglamento para la selección de candidatos, si bien no está claro quién ha aprobado estos documentos. La democracia interna es incierta. La red a la que se aplica ocupa un papel central. Selecciona a través de la red a los candidatos, que deben comprometerse a dimitir en caso de no cumplir con los códigos de conducta establecidos. Tiene una Asamblea, un Jefe Político, un Defensor, un Comité de Garantía, una Junta de Árbitros y un Tesorero. Las decisiones fundamentales competen al Jefe político y al Defensor (dos cargos previamente confiados a la misma persona). Tiene un proceso electoral que se extiende a cerca de un tercio de los votantes, aunque se elige a sus propios candidatos a través de "parlamentarios" de entre los afiliados. Se sirve de mecanismos de democracia indirecta con base en procedimientos de democracia directa (los representantes se definen "portavoces"; se hallan vinculados mediante mandato imperativo y obligados a escuchar la "voluntad popular" antes de asumir la posición que corresponda en el parlamento, así como a votar a favor de la confianza de los Gobiernos presididos por los presidentes del movimiento; y son sancionados en caso de expulsión, abandono o inscripción en otro grupo). Estas últimas previsiones se oponen a un precepto constitucional (el artículo 67, de acuerdo con el cual los parlamentarios desempeñan sus funciones sin mandato alguno), y que tiene precedentes ilustres (en su famoso discurso ante el electorado de Bristol, en 1774, Edmund Burke observó que "el gobierno y la legislación son cuestiones de razón y discernimiento, no ya de inclinación. ¿Y qué clase de razón es esa, donde la determinación precede al debate, donde un grupo de hombres delibera y otro decide [...]").

Este malestar de la democracia ha provocado la búsqueda de remedios, de sustituciones o alternativas. Los referendos, que se prestan a petición del pueblo de tipo *gaullista*. La democracia denominada "deliberativa", es decir, aquella que prevé consultar a los ciudadanos sobre las políticas públicas, aquella que no puede, en cambio, ejercitarse sobre todas las decisiones y conducir a una integral socialización del poder (un sueño incumplido para varias corrientes del socialismo del siglo XIX y principios del XX). El recurso a la red, con todas las arbitrariedades que ello conlleva.

Una alternativa radical consiste en la socialización integral del poder, una utopía perseguida por diversas corrientes del socialismo en el siglo XIX y principios del XX, probablemente inspirada en la reinterpretación alemana del autogobierno inglés. Según Engels y Marx, la sociedad habría podido reorganizar la producción sobre la base de una libre asociación de productores, que reemplazaría a toda la maquinaria del Estado por una democracia más completa. Ello habría llevado a la extinción del Estado, la elegibilidad absoluta y la revocabilidad de todos los funcionarios, retribuidos al mismo nivel que los salarios de los trabajadores. De esta manera, toda la sociedad sería una gran oficina y una gran fábrica, con igualdad de trabajo e igualdad de salario. Esta utopía influyó en Lenin y en el diseño inicial de los *soviets* (consejos), inmediatamente después de la revolución de octubre de 1917, en la Constitución soviética de 1918.

Entre los remedios utilizados actualmente, las encuestas de opinión merecen un lugar destacado. Se trata de encuestas con frecuencia demasiado restringidas o poco representativas, muy condicionadas por las preguntas planteadas y la forma en que se formulan; constituyen una forma de "tomar la temperatura" del electorado, aunque también en muchos casos se utilizan para influir en la opinión pública. Por esta razón, una ley italiana de 2000 prohibió que, en los quince días anteriores a la fecha de la elección, se hagan públicos y difundan los resultados de las encuestas. También establece esa ley con carácter general que las encuestas sólo podrán difundirse si se ponen a disposición del sitio de Internet del Gobierno, con su debido contexto y con la información relativa, entre otras cosas, a las personas y a los criterios seguidos.

Las encuestas también se prestan a contradicciones, como las que irónicamente relata una conocida película de 1947, *The Magic City*, en la que se dice que Rip Smith, experto en investigación de mercados, cree haber encontrado en la ciudad de Grandview el espejo de América, útil para los sondeos de opinión (*opinión polls*) porque son representativos de toda la nación.

En Italia, el malestar de los ciudadanos es más pronunciado porque no sólo las ramas o niveles altos funcionan mal, sino también las ramas bajas de las instituciones: escuelas, hospitales, universidades, transporte, carreteras, justicia. Un signo de ello son las encuestas periódicas sobre la confianza de los ciudadanos, que sitúan en la cima a las fuerzas del orden, a la Iglesia, a las autoridades independientes y –mucho menos– a las Administraciones públicas, a los servicios de red y a los tribunales.

La democracia representativa, que ahora prevalece, puede ampliarse. Ello implica participación y debate. Hay procesos de consulta, o más bien de "debate" sobre las decisiones a tomar, y a través de los cuales se asegura la información, se permite la participación y se tienen en cuenta las opiniones expresadas. Las decisiones se toman con esa implicación de todos, el intercambio de información, con participación y audiencia, con el convencimiento. La voz de las partes interesadas se escucha en el proceso de toma de decisiones. Las experiencias del "debate público" (*débat public*) en Francia y la de la "encuesta pública" (*public inquiry*) británica, así como la de los procedimientos de consulta y participación (*notice and comment*) de los Estados Unidos, son significativas.

Se trata de la democracia "deliberativa" o democracia procedimental, mediante la cual se asegura la participación de los interesados en el correspondiente proceso decisorio. De esta manera (a través de procedimientos administrativos que siguen el modelo de la "representación de intereses" o de la *interest representation*, conocido con diferentes denominaciones, como *notice and comment, enquête publique, public inquiry, consultazione*, y ampliamente debatido por los teóricos de la democracia deliberativa o *deliberative democracy*) la Administración imita el circuito democrático.

También la llamada democracia deliberativa ha sido objeto de críticas por motivos diferentes: tiende a fomentar posiciones extremas, induce a contradicciones y errores, algunos grupos adquieren más peso que otros, empeora, no mejora, la democracia.

Es interesante la propuesta de dos estudiosos norteamericanos, Bruce Ackerman y Jim Fishkin, de acuerdo con la cual se debería introducir un "Día de Deliberación", en el que grupos cada vez más grandes debatieran, antes de las elecciones nacionales, los temas más importantes que están sobre la mesa, con el fin de profundizar en todos sus conocimientos y participar en la votación con mayor conciencia de las opciones que hayan de tomarse.

Ello pone en tela de juicio la democracia nacional, cuyas decisiones generales podrían verse revocadas a veces. El circuito democrático, aunque se enriquece, entra también en contradicción consigo mismo, si no se quiere dejar a las decisiones "participativas" ante la Administración únicamente las cuestiones secundarias.

Esta es una práctica cada vez más difundida en las grandes democracias. Se trata de implicar a los ciudadanos en los procesos decisorios.

IV. LAS PRIMARIAS

Las primarias se celebran en Estados Unidos para elegir a los candidatos a la presidencia. Ambos partidos nacionales participan. Constituyen un instrumento de polarización (que por lo general favorece a las partes más extremas de los partidos) de un sistema que tendería al centro. La necesidad de mantener el apoyo que cada candidato ha obtenido con las primarias en su partido evita el colapso hacia la zona media, colapso que se produciría por la búsqueda del centro, que es propia de los sistemas bipartidistas.

En Italia no todos los partidos recurren a las primarias para elegir a su candidato a las elecciones, nacionales o locales. De ahí que las primarias, como en otros países, no tengan la misma función de identificación y de contraposición característica de las primarias norteamericanas.

Tanto en los Estados Unidos como en Italia y en otros países, las primarias sirven para compensar la debilidad del partido-organización. Éstos presentan dos problemas conectados entre sí. Internamente, carecen de una estructura robusta que permita a los afiliados una selección continua de los candidatos que han de representar al partido. Externamente, y aun cuando el partido sea instrumento al servicio de la democracia en cuanto que ha de garantizar el vínculo entre la sociedad y el Estado (entre el pueblo y el Gobierno), no ofrece suficiente garantía de calidad democrática. De ahí las dos funciones, entre sí conectadas, que asumen las primeras en Italia, esto es, la de suplir la escasa capacidad de selección y reclutamiento de la maquinaria del partido, y la de asegurar la democracia interna. A este último propósito, las elecciones primarias también están abiertas al voto de los no afiliados. Lo cual pone de manifiesto que las primarias italianas no son tanto una prueba de democracia como una prueba de la debilidad de la democracia.

V. LA DEMOCRACIA ELECTRÓNICA

¿Pueden todos los ciudadanos, desde casa, a través de la "web", participar colectivamente en las decisiones? La difusión de Internet, que ahora conecta a la mitad de los habitantes de la Tierra, alimenta las esperanzas de una mayor participación. Permite aprovechar los recursos, organizar a los que hacen propuestas y movilizar a los votantes. Facilita el acceso a las elecciones de los *outsiders*.

Sin embargo, el impacto de las redes electrónicas sobre la democracia no es tan positivo. Un cuidadoso estudio de las tres últimas campañas presidenciales norteamericanas ha puesto de manifiesto muchos inconvenientes: difusión de noticias falsas, *social-media bots* (es decir, cuentas en redes sociales que generan conversaciones automáticas), influencia de la propaganda de países extranjeros. Las grandes promesas de Internet también esconden insidias: los demagogos pueden apelar a los peores instintos de las masas, en perjuicio del "establishment"; los políticos improvisados pueden prescindir de los partidos; el anonimato y la irresponsabilidad que de ellos se derivan permiten la difusión de falsas noticias y bulos, así como la creación de "burbujas" y "ecos".

Además, la difusión de Internet y de las noticias no facilita la formación del electorado, sino que la empeora, porque se ha demostrado que éste tiende a tomar partido por planteamientos partidistas, y evita el diálogo que favorece la comunicación. La red está dominada por distintas clases de prejuicios cognitivos: se acepta lo que confirma los puntos de vista preexistentes; prevalecen los recuerdos vívidos, los que son más fáciles de recordar; es importante la forma en que se presentan la información o las opiniones, no su justificación o fundamento.

La utopía de la democracia electrónica podría terminar de la misma manera que una conocida historia de 1955 de Isaac Asimov, titulada *Franchise* (sufragio, derecho al voto), que narra una elección presidencial llevada a cabo por una máquina, Multivac, que decide quién será el presidente reuniendo miles de millones de datos y de elementos informativos almacenados en ella y controlando algunas actitudes imponderables de la mente humana, mediante la formulación de preguntas a un modesto empleado del Estado de Indiana. De este modo –termina la historia– "los ciudadanos soberanos de la primera y más grande democracia electrónica, a través de Norman Muller, habían ejercido una vez más su derecho libre e inalienable al voto".

VI. EL ESTADO: UNA FÁBRICA COMPUESTA

En conclusión, la "maquinaria" o "fábrica del Estado" constituye una estructura compleja, construida a lo largo del tiempo y con materiales diferentes. Sería una ilusión pensar que el Estado democrático es por entero democrático; una parte de los poderes del Estado no se regula a través de mecanismos democráticos. El Gobierno indirecto del pueblo necesita élites. La propia democracia representativa (*electoralism*) resulta muy imperfecta, puesto que hace que prevalezca la minoría más fuerte. Los distintos componentes de la democracia han de coexistir. La democracia, a su vez, constituye un complejo de reglas para decidir, no puede reducirse a elecciones.

Los poderes públicos se han construido, pues, con materiales diferentes, con consistencias y resistencias diversas, que se ven obligados a unir. De todos estos materiales deriva una fuente de legitimación: el pueblo, el Derecho, la efectividad de las decisiones. Ninguno de estos elementos puede faltar, aunque conviven con dificultad.

Esto se debe a que el poder público responde a exigencias contradictorias. Por tanto, es necesario establecer un equilibrio entre éstas, como han observado todos los defensores del "gobierno mixto", desde la antigua Grecia hasta nuestros días. Este equilibrio no puede ser siempre y en cualquier lugar el mismo. De ahí que hayan de establecerse los casos, las materias para cada zona de equilibrio, sin que existan tampoco criterios generales, "meta-normas", en virtud a las cuales quepa determinar tales equilibrios, porque los criterios son externos, históricos, de contexto, inestables. Desde este punto de vista, el Estado es fruto de variables, es todo histórico.

Lo que importa en este análisis es no perder de vista a los tres componentes, tal y como hacen todos aquellos que lamentan el déficit democrático de la Unión Europea, pero olvidando la fuerza legitimadora proveniente del Derecho; o aquellos que auspician una ilimitada expansión de la democracia, que supondría un perjuicio para los demás componentes. En suma, todos estos elementos –la democracia, el Derecho, la autoridad– están sujetos a límites. Y estos límites se establecen en virtud del interés conjunto de estos tres componentes.

Por último, no hay que subestimar que para la democracia son esenciales la tolerancia, el debate público, la búsqueda de consensos y, como sostiene Antonio Gramsci, la "capacidad de ampliación y de persuasión de las opiniones de unos pocos", que es anterior al "recuento de los votos".

VII. LA DEMOCRACIA VIVE DE CRISIS

Teniendo en cuenta las dificultades y las limitaciones de la democracia, ¿hemos de preocuparnos por su futuro? El estado de bienestar de las instituciones democráticas resulta importante al menos por dos razones. La primera reside en el hecho de que no se conocen sistemas políticos que garanticen el espacio de libertad, el bienestar y la paz del mismo modo que lo hace la democracia. La segunda reside en la irreversibilidad de la democracia (baste pensar en la Italia de Mussolini, en la España de Franco o en la Alemania de Hitler) y en la apelación que a veces la democracia debe hacer a lo que Aristóteles llamó "asymneteia" (gobierno provisional, confiado a terceras partes en caso de conflicto).

Dos razones igualmente fuertes compensan las preocupaciones por el malestar generado ante la democracia. La primera es el carácter acumulativo que presentan las instituciones. Como observara Edmund Burke, los seres humanos no son lo suficientemente fuertes para reconstruir la sociedad desde sus mismos fundamentos. Las tradiciones tienen su peso. Piénsese en los cimientos del *Ancien Régime*, del Antiguo Régimen, que Tocqueville descubrió en las instituciones posrevolucionarias; o en las raíces de la tradición zarista que han pervivido en la Rusia soviética. La historia de las instituciones muestra la lentitud de sus cambios con respecto a ciertas mutaciones sociales. Este diferencial de velocidad los protege de cambios repentinos.

El otro motivo para un cierto optimismo resulta aún más complejo. Las tres oleadas del crecimiento y arraigo de la democracia –en la última década del siglo XIX, en el período de entreguerras en el XX y la actual– ponen de manifiesto que la democracia vive de crisis, porque éstas han sido factores de crecimiento, pese a momentáneas suspensiones.

Las tensiones que dominaron las crisis de la democracia en la segunda mitad del siglo XIX trajeron una progresiva extensión del sufragio. Los conflictos de la primera mitad del siglo XX impulsaron la democracia a nivel global, la convirtieron en una aspiración universal, y abrieron el camino a una interferencia mutua entre los distintos países en razón de la implantación de la democracia (piénsese así, por ejemplo, en la presión de la Unión Europea a favor de la democracia en Turquía y Polonia, y en las diversas iniciativas de la Organización de las Naciones Unidas y de la Unión Europea para la promoción de la democracia). Ello no impide que esos beneficios se hayan visto acompañados de inconvenientes: la extensión del sufragio ha disminuido ciertamente la epistocracia, la universalidad de los principios democráticos ha abierto la vía a nuevos conflictos (baste recordar el caso de Afganistán).

Hoy en día, las instituciones están sometidas a ciertas tensiones dialécticas. Por un lado, hay una fuerte presión en favor de la tesis de que cuanto más democracia haya, tanto mejor. Por otro, se es consciente de que la democracia no puede ser ubicua, ilimitada, que necesita una buena dosis de poliarquía, de la que forman parte también las clases dirigentes, las élites, los *think tanks*.

Otra tensión, típica hoy en día en Italia, donde las encuestas de opinión revelan que el estado actual de la democracia no satisface al 60% de la población, es la que se da entre la expansión de la actividad parlamentaria y el proceso de judicialización de las decisiones de la comunidad. Por un lado, en efecto, el parlamento va demasiado lejos con leyes cada vez más detalladas, que aspiran a ser autoaplicativas, directamente aplicables sin más, transformándose entonces en un legislador-administrador. Por otro, las decisiones de la comunidad se hallan cada vez más en manos de fiscales y jueces. La primera tendencia expande la democracia, la segunda amplia la epistocracia. Ambos fenómenos limitan la acción de la Administración, de modo que el Ejecutivo se ve privado de su esfera de discrecionalidad y se frustra la competencia técnica de las dependencias administrativas.

VIII. PARA CONCLUIR

En los dos tomos de *La democracia en América*, publicados en 1835 y 1840, Alexis de Tocqueville ilustró la democracia norteamericana. Esta obra ha marcado el inicio de la reflexión moderna sobre la democracia. Sin embargo, sabemos que en las elecciones presidenciales americanas de 1824 votaron 356.000 ciudadanos de sexo masculino, es decir, casi el 3,5% de la población, que por entonces era de 10,4 millones (todavía en los años setenta del siglo XIX votaba sólo el 20% de la población). Además, en 1831, cuando el joven y noble magistrado francés realizó su viaje a América, los Estados del Norte acababan de abolir la esclavitud, mientras que los del Sur aún mantenían la esclavitud de la población negra, que entonces representaba el 18% de la población. Pese a que Tocqueville analizó con agudeza estas graves deficiencias del principio democrático y del principio del Estado de Derecho, consideró a Estados Unidos un ejemplo de democracia moderna.

Después de Tocqueville, y durante mucho tiempo, nadie ha dudado que fueran democráticos regímenes políticos en los que podían participar, eligiendo y siendo elegidos, sólo los propietarios o aquellos que poseían una cierta formación, o los contribuyentes, o las personas de sexo masculino.

Todo ello significa que las instituciones democráticas han sido en el pasado muy imperfectas en su funcionamiento y que han estado limitadas en su aplicación, y así se las considera aún hoy en día. En todo el mundo se trata de perfeccionarlas, con frecuencia sin que haya conciencia de su necesaria falta de completud.

La democracia se considera en nuestro tiempo como un conjunto de instrumentos con una fuerza expansiva ilimitada, que puede llegar a cualquier punto y en todos los sitios generar beneficios. Sin embargo, la democracia consiste en mecanismos y procedimientos de enorme éxito, determinados históricamente, aunque aplicables sólo a algunas partes de los poderes públicos; se trata de mecanismos y procedimientos que están dotados de una notable fuerza aunque al mismo tiempo resulten muy insuficientes para asegurar ese deseado "reflejo" de los gobernantes en los gobernados.

Se ha entendido que el pueblo puede equivocarse. El jurista alemán Carl Schmitt ha relatado cómo fueron los dramáticos días de la crisis de la República de Weimar y de la ascensión al poder de Hitler. En la crónica de aquellos días tempestuosos del 1933, repite dos veces el verso de Hölderlin que fue oído por un íntimo colaborador del canciller Schleicher: "und Völker auch / Ergreift die Todeslust" ("y el placer de la muerte atrapa también a los pueblos").

También se ha entendido que –tal y como observó Winston Churchill– "democracy is the worst form of government, except for all those other forms that have been tried from time to time", es decir, que la democracia es la menos mala de todas las formas de gobierno. Las instituciones democráticas atraviesan crisis sin aprender de ellas (esta es su debilidad), siempre esperando un futuro diferente y esperando un cambio constante que nunca llega (esta es su fuerza).

El constitucionalismo se ha preocupado siempre por que la democracia limite al poder. A ese tema tradicional, hoy se añaden otros, que responden a problemas contemporáneos. Uno es la búsqueda de una nueva e incierta democracia que no se halla ya mediada por los partidos. Un segundo tema es el de la circulación incontrolada de la información y sus límites (por ejemplo, cuando cualquiera haga valer el denominado derecho al olvido). Otro radica en la interdependencia entre los Estados, y entre éstos y los diversos poderes que se han establecido a nivel global. Las reflexiones sobre la democracia han de tener en cuenta, pues, estos nuevos grandes problemas.

NOTAS SOBRE EL LIBRO
Y REFERENCIAS BIBLIOGRÁFICAS

Este libro es la continuación ideal de otro de mis libros, *Maggioranza e minoranza. Il problema de la democracia in Italia*, Milano, Garzanti, 1995. Ambos han sido escritos en momentos críticos de la democracia en Italia (y en el mundo): el de 1995, mientras se oían las consecuencias de las modificaciones en la coyuntura política y en el sistema electoral; el último, cuando tuvieron lugar las incertidumbres sobre la Constitución y sobre la fórmula electoral. Se reproducen y desarrollan, aquí, los amplios pasajes de uno de mis artículos sucesivos, *La fabbrica dello Stato, overo i limiti della democracia*, en Quaderni costituzionali, n. 2, 2004, pp. 249-259.

En esta segunda edición, además de las actualizaciones necesarias, se han desarrollado algunos puntos, en particular el inicial sobre la crisis de la democracia, el del referéndum, el de la epistocracia, el de la democracia electrónica y el del futuro de la democracia.

Agradezco a los profesores Yves Meny, Guido Melis, Giulio Napolitano, Pasquale Pasquino, Luisa Torchia y Giulio Vesperini por los comentarios a las primeras versiones de este texto, y a los profesores Paul Cartledge y Maria Luisa Catoni por las sugerencias relativas al tema de la democracia ateniense.

La literatura sobre la democracia es muy amplia y comprende textos históricos, de historiadores de las ideas, de filósofos, de filósofos políticos, de politólogos, de comparatistas, de estudiosos del Derecho. Por todas las implicaciones que posee la democracia, muchos textos tienen un carácter misceláneo y reúnen perfiles de historia intelectual y de análisis de regímenes políticos, modelos y realizaciones, democracia y "rule of law". A continuación, algunas de las referencias que han sido mencionadas directa o indirectamente en el texto.

La palabra democracia, de origen griego, no estaba muy extendida en la antigua Roma, donde se utilizaba más bien "civitas popularis", o "potestas popularis", o "imperium pòpuli". Fue aceptada en la lengua latina de la Baja Edad Media, si bien hasta el siglo XVI prevaleció el término "gobierno popular" o "Estado popular". Maquiavelo escribe sobre el "principado popular", y Croce también prefiere "popular" a democrático. En un momento determinado, democracia se convierte en sinónimo de revolucionario. La palabra democracia ha sido aceptada en Francia e Inglaterra desde el siglo XIV. Sobre esta temática, véase T. De Mauro, *Il significato di "democrazia"* (1958), actualmente en Id., *Senso e significato. Studi di semantica teorica e storica*, Bari, Adriatica editrice, 1971, p. 219 - 238.

Una biografía del concepto de democracia se puede encontrar en P. Cartledge, *Democracy. A Life*, Oxford, Oxford Univ. Press, 2016, donde se hace un recorrido por la historia del concepto desde la antigua Grecia hasta nuestros días, a través de eclipses, renacimientos, renovaciones, negaciones, reinvenciones.

I. ¿UNA NUEVA CRISIS DE LA DEMOCRACIA?

La literatura sobre la crisis de la democrazia resulta muy extensa. Las referencias que siguen se ciñen sobre todo a las más recientes: The Trilateral Commission, The Crisis of Democracy. Report on *the Governability of Democracies to the Trilateral Commission* (M. Crozier, S. P. Huntington, J. Watunake), New York, New York Press, 1975; *What's gone wrong with democracy*, "The Economist", March 2014; C. H. Achen and L. M. Bartels, *Democracy for Realists. Why Elections Do Not Produce Responsive Government*, Princeton, Princeton Univ. Press, 2016; L. Castellani, A. Rico, *La fine della politica?*, Cesena, Historica, 2017; P. Khanna, *La rinascita della città-Stato*, Roma, Fazi, 2017; G. Parietti, *Democrazie deboli*, in "il Mulino", 2017, n. 2, A. LXVI, p. 305 - 312; S. Issacharoff, *Democracy's Deficits*, en prensa, en traducción alemana, en "Der Staat". Otras indiciaciones sobre esta temática se encuentran en la bibliografía que se cita más abajo. Véanse también los escritos sobre la "democrazia del público" come última metamorfosis de la democracia representativa de B. Manin, *La democrazia del pubblico in pericolo?* y I. Diamanti, *Oltre la democrazia del pubblico*, ambas en "Comunicazione politica", 2014, n. 3, p. 575 – 580 e 581 – 590.

La frase di Bobbio se encuentra en Bobbio, *Il futuro della democrazia*, Torino, Einaudi,1984, p. 14 e p. 22.

II. LA DEMOCRACIA COMO GOBIERNO DEL PUEBLO

Sobre el pueblo como autor y titular del poder constituyente en un doble sentido, como "mandante" y, en sentido negativo, como forma capaz de rechazar todo poder absoluto, P. Pasquino, *Costituzione e potere costituente: i due corpi del popolo*, en "Rivista di politica", n. 4, 2016, p. 22. Sobre la democracia como gobierno del pueblo en Grecia, véase L. Canfora, *La democrazia è il governo del popolo*, en AA.VV., *Il pregiudizio universale*, Roma – Bari, Laterza, 2016, p. 96 – 99.

Sobre el referéndum británico, P. Craig, *Brexit: a drama in six acts*, en "European Law Review", 2016, pp. 447 ss.

Sobre la crisis de la democracia, P. Rosanvallon, *Prefazione a una teoria della disillusione verso la democrazia*, trad. it. Milano, Anabasi, 1994; R. Posner, *The Crisis of Capitalist Democracy*, Cambridge (MA), Harvard University Press, 2010; A. Pizzorno, *La democrazia di fronte allo Stato. Una discussione sulle difficoltà della politica moderna*, Milano, Garzanti, 2010; D. Runcimann, *The Confidence Trap. A History of Democracy in Crisis from World War I to the Present*, Princeton, Princeton University Press, 2013; G. Preterossi, *Ciò che resta della democrazia*, Roma-Bari, Laterza, 2015; R. Simone, *Come la democrazia fallisce*, Milano, Garzanti, 2015.

Sobre los diferentes componentes de la democracia. Y. Meny, *"It's politics, stupid!". The hollowing out of politics in Europe – and its return, with a vengeance*, en "Stato e mercato", n. 103, 2015, abril, pp. 3 ss.

La frase de Brecht está en la poesía *Die Lösung*: "Nach dem Aufstand des 17. Juni / Ließ der Sekretär des Schriftstellerverbands / In der Stalinallee Flugblätter verteilen / Auf denen zu lesen war, daß

das Volk / Das Vertrauen der Regierung verscherzt habe / Und es
nur durch verdoppelte Arbeit / zurückerobern könne. Wäre es da
/ Nicht doch einfacher, die Regierung / Löste das Volk auf und /
Wählte ein anderes?" (*La solución*: "Tras la revuelta del 17 de junio
/ el secretario de la Unión de escritores / hizo que se distribuyeran
folletos en el Estalinalle / en los que se podía leer que el pueblo / se
había jugado la confianza del Gobierno / y la podía reconquistar tan
sólo / duplicando el trabajo. ¿No sería / más sencillo que el gobierno / disolviera al pueblo / y eligiera a otro?", en B. Brecht, *Poesie
II, 1934-1956*, traducción de Ruth Leiser y Franco Fortini, Torino,
Einaudi, 1977, p. 665). A Brecht se le atribuye también la aguda pregunta "Die Souveränität geht vom Volk aus, aber wohin geht sie?"
("La soberanía proviene del pueblo pero, ¿hacia dónde va?"): véase
la cita en la minuciosa reconstrucción de la ciencia publicista alemana realizada por P. Ridola, *Stato e Costituzione in Germania*, Torino,
Giappichelli, p. 38.

La frase de Luciano Leuwen se encuentra en Stendhal, *Luciano
Leuwen* (1834-1835), trad. it. Milano, Mondadori, 1963, p. 28. La de
Settembrini en T. Mann, *La montagna magica* (1924), trad. it. Milano,
Mondadori, 2010, p. 587.

La frase de Giacomo Leopardi se encuentra en G. Leopardi, *Zi-
baldone di pensieri* (1817-1832), n. 4484, Milano, Garzanti, 1991, vol.
II, p. 2556.

Sobre las teorías de la democracia, G. Sartori, *Democrazia. Cos'è*,
Milano, Rizzoli, 1994; A.H. Birch, *The Concepts and Theories of Mo-
dern Democracy*, London, Routledge, 1995; R. Dahl, *Politica e virtù.
La teoria democratica nel nuovo secolo*, dirigido por S. Fabbrini, trad. it.
Roma-Bari, Laterza, 2001; Id., *Sulla democrazia*, trad. it. Roma-Bari,
Laterza, 2002; Id., *Quanto è democratica la costituzione americana?*, trad.
it. Roma-Bari, Laterza, 2003; M.L. Salvadori, *Democrazia. Storia di
un'idea tra mito e realtà*, Roma, Donzelli, 2015.

Sobre el gobierno representativo y las teorías de la democracia
fundamental, B. Manin, *Principi del governo rappresentativo* (1995), Bologna, il Mulino, 2010.

Sobre las relaciones entre liberalismo y democracia, G. Galasso,
Liberalismo e democrazia, Roma, Salerno, 2013 y J. Ober, *Demopolis:*

Democracy before Liberalism. Theory and Practice, Cambridge Univ. Press, 2017.

Sobre los modelos y tipos de democracia, D. Held, *Modelli di democrazia*, trad. it. Bologna, il Mulino, 1989 (III edizione, Stanford Univ. Press, 2006); P. Allum, *Democrazia reale. Stato e società civile nell'Europa occidentale*, trad. it. Torino, Utet, 1997; C. Ampolo *et al.*, *Venticinque secoli dopo l'invenzione della democrazia*, Paestum, Fondazione Paestum, 1998; A. Lijphart, *Le democrazie contemporanee*, trad. it. Bologna, il Mulino, 2001; R. Axtmann (dirigido por), *Balancing Democracy*, London, Continuum, 2001; C. Tilly, *La democrazia*, trad. it. Bologna, il Mulino, 2009; M. Salvadori, *Democrazia senza democrazia*, Roma-Bari, Laterza, 2009; D. della Porta, *Democrazia*, Bologna, il Mulino, 2011; S. Issacharoff, *Fragile democracies. Contested Power in the Era of Constitutional Courts*, New York, Cambridge University Press, 2015.

La frase de Antoine Rivarol se puede leer en A. Rivarol, *Esprit de Rivarol*, Paris, Les principaux libraires, 1808, p. 37.

La frase de Alexis de Tocqueville se encuentra en la denominada "segunda" *Démocratie*: A. Tocqueville, *De la Démocratie en Amérique* (1840), Paris, Laffont, 1991, p. 629.

He esbozado muy brevemente la historia del principio "quod omnes tangit ab omnibus approbetur" en S. Cassese, *Il diritto globale. Giustizia e democrazia oltre lo Stato*, Torino, Einaudi, 2009, pp. 157 ss.

Sobre los lobbies y su regulación, G. Macrì (dirigido por), *Democrazia degli interessi e attività di lobbying*, Soveria Mannelli (CZ), Rubbettino, 2016.

Los datos sobre habitantes, ciudadanos y residentes se encuentran en S. Cassese, *Stato in trasformazione*, en Id., *Territori e Potere. Un nuovo ruolo per gli Stati?*, Bologna, il Mulino, 2016, p. 77 - 79. Véase tambień Fondazione Leone Moressa, *Rapporto annuale sull'economia dell'immigrazione*, Bologna, il Mulino, 2017.

La sentencia del Tribunal Supremo norteamericano sobre el problema de la ciudadanía se encuentra en *Afroyim v. Rusk*, USSC 387 US 253 (1967).

La notoria fórmula de Hannah Arendt sobre la ciudadanía como derecho a tener derechos se encuentra en H. Arendt, *Le origini del totalitarismo* (1951), trad. it. Milano, Edizioni di Comunità, 1966, pp. 410 ss., así como en otros textos de la misma autora.

La primera sentencia del Tribunal Europeo de Derechos Humanos sobre el problema de los "voting rights" de los prosioneeros está en *Hirst v. United Kingdom (No. 2)*, ECHR 681 2005.

Las notas de Antonio Gramsci sobre el partido y el Príncipe moderno están en "Quaderni del carcere", publicados por primera vez en A. Gramsci, *Note sul Machiavelli, sulla politica e sullo Stato moderno*, Torino, Einaudi, 1949.

Sobre la elecciones como designación de capacidad, V. E. Orlando, *Principi di diritto costituzionale*, Firenze, Barbèra, 1889, p. 73.

La sentencia del Tribunal Constitucional alemán de 2014 sobre el Sistema europeo de estabilidad está en 2 BVR 1390/12 del 18 marzo 2014.

Sobre elecciones y referendos, A. Breton, G. Galeotti, P. Salmon y R. Wintrobe, *Preferences and Democracy*, Dordrecht, Kluwer Academic Publishers, 1993; M. Fedele, *Democrazia referendaria. L'Italia dal primato dei partiti al trionfo dell'opinione pubblica*, Roma, Donzelli, 1994; D. Fisichella, *La rappresentanza politica*, Roma-Bari, Laterza, 1996; P. Martelli, *Elezioni e democrazia rappresentativa. Un'introduzione teorica*, Roma-Bari, Laterza, 1999; D. Fisichella, *Elezioni e democrazia. Un'analisi comparata*, Bologna, il Mulino, 2003.

Sobre democracia representativa y delegativa, G. O'Donnell, *Delegative Democracy?*, Kellogg Institute, s.d. (ma 1993). Véanse también, P. Pasquino, *A proposito di regimi elettorali democratici*, en "il Mulino", n. 1, 2012, pp. 33 ss., y A. Pizzorno, *In nome del popolo sovrano?*, en "il Mulino", n. 2, 2012, pp. 201 ss.

Sobre la posición de Alcide De Gasperi acerca del referéndum de 1946, G. Crainz, *Storia della Repubblica. L'Italia dalla Liberazione ad oggi*, Roma, Donzelli, 2016, p. 39.

Sobre la crítica de las elecciones y la proposición del sorteo como método para seleccionar a los gobernantes, D. van Reybrouck, *Contro le elezioni. Perché votare non è più democratico*, trad. it. Milano, Feltrinelli, 2015.

La frase de Rousseau está en *Du contrat social, ou Principe du droit politique* (1762), Paris, Union Générale d'Éditions, 1963, Livre III, Chapitre XV.

La frase de Aristóteles está en Aristóteles, *Politica* ((330 - 320 a.C.), V libro, Roma-Bari, Laterza, 2000, p. 132.

La Sentencia del Tribunal Supremo de Reino Unido sobre democracia y derechos de las minorías puede verse en *R (Chester) v. Secretary of State for Justice*, 2013, UKSC 63. La del Tribunal Europeo de Derechos del Hombre en, *Dogan and Others v. Turkey*, n. 62649/10, del 26 abril 2016.

Las observaciones de Jean-Jacques Rousseau sobre la Dieta polaca se encuentran en J.-J. Rousseau, *Considerazioni sul governo di Polonia e sul progetto di riformarlo* (1782), en Id., *Scritti politici*, Roma-Bari, Laterza, 1994, III vol., pp. 222 ss.

Las citas y los datos comparativos relativos a la fórmula electoral se han tratado en los siguientes volúmenes: D.M. Farrell, *The United Kingdom Comes of Age: The British Electoral Reform "Revolution" of the 1990s*, en M. Soberg Shugart y M.P. Wattenberg (dirigido por), *Mixed-Member Electoral Systems. The Best of Both Worlds?*, Oxford, Oxford University Press, 2003, p. 521. Véase también, O. Massari, *Gran Bretagna: un sistema funzionale al governo di partito responsabile*, en O. Massari y G. Pasquino (dirigido por), *Rappresentare e governare*, Bologna, il Mulino, 1994, pp. 25 ss.; P. Mitchell, *The United Kingdom. Plurality Rule under Siege*, en M. Gallagher y P. Mitchell (dirigido por), *The Politics of Electoral Systems*, Oxford, Oxford University Press, 2005, p. 158; S. Fabbrini, *USA: maggioritario e sistema di governo presidenziale*, en O. Massari y G. Pasquino (dirigido por), *Rappresentare e governare*, cit., p. 57; S.E. Scarrow, *Germany: The Mixed-Member System as a Political Compromise*, en M. Soberg Shugart y M.P. Wattenberg (dirigido por), *Mixed-Member Electoral Systems*, cit., p. 56; P.G. Lucifredi y P. Costanzo, *Appunti di diritto costituzionale comparato I. Il sistema francese*, Milano, Giuffrè, 2004, p. 86, nota 1; M. Gallagher, *Conclusion*, en M. Gallagher y P. Mitchell (dirigido por), *The Politics of Electoral Systems*, cit., p. 541; G. Baldini, *The Different Trajectories of Italian Electoral Reforms*, en "West European Politics", vol. XXXIV, n. 3, maggio 2011, pp. 644-663; M.S. Piretti, *Sistemi elettorali e struttura del Parlamento*, en L. Violante (dirigido por), *Il Parlamento*, Storia d'Italia, Annali 17, Torino, Einaudi, 2001, pp. 545-582. Se hace remisión también a S. Cassese, *Governare gli italiani. Storia dello Stato*, Bologna, il Mulino, 2014, pp. 80-82.

El texto de W. Bagehot está en *The English Constitution*, London, Chapman and Hall, 1867 (trad. it. *La Costituzione inglese*, Bologna, il Mulino, 1995).

III. ¿CUÁN DEMOCRÁTICO ES UN ESTADO DEMOCRÁTICO?

El discurso de Alcide De Gasperi sobre la necesidad de la competencia técnica en A. De Gasperi, *Discorsi politici*, Roma, Cinque Lune, 1956, p. 256.

Un relanzamiento sobre la idea de meritocracia se encuentra en D. A. Bell, *The China Model. Political Meritocracy and the Limits of Democracy*, Princeton University Press, 2015. Véase también, C. Carboni, *L'implosione delle élite. Leader "contro" in Italia e Europa*, Soveria Mannelli (CZ), Rubbettino, 2015.

Las frases de Mortati sobre los componentes democráticos y aristocráticos pueden verse en C. Mortati, *Art. 1*, in *Commentario alla Costituzione*, a cura di G. Branca, Bologna - Roma, Zanichelli, 1975, p. 7 e p. 42.

El término epistocracia ha sido acuñado por D. Estlund, *Why not Epistocracy*, in *Desire, Identity and Existence*, Essays in Honor of T. M. Penner, ed. by N. Reshotko, New York, Academia Printing and Publishing, 2003, p. 53 – 69, y la relativa teoria ha sido desarrollado por J. Brennan, *Against Democracy*, Princeton, Princeton Univ. Press, II ed., 2017. Véase también T. Nichols, *The Death of Expertise. The Campaign against Established Knowledge and Why it Matters*, Oxford, Oxford Univ. Press, 2017. Sobre las relaciones entre competencia y democracia en la antigua Grecia rapporti tra competenza e democrazia, M. Vegetti, *Chi comanda nella città. I Greci e il potere*, Roma, Carocci, 2017, p. 34 ss.

Sobre parlamentos y Gobiernos, U. Liebert y M. Cotta (dirigido por), *Parliament and Democratic Consolidation in Southern Europe*, London, Pinter Publishers, 1990; P.V. Warwick, *Government Survival in Parliamentary Democracies*, New York, Cambridge University Press, 1994.

La frase de Alexis de Tocqueville sobre la voluntad nacional está en la "primera" *Démocratie*: A. Tocqueville, *De la Démocratie en Amérique* (1835), cit., p. 82. Sobre la soberanía popular, P. Rosanvallon, *La démocratie inachevée. Histoire de la souveraineté du peuple en France*, Paris, Gallimard, 2000; Paris, Folio Histoire, 2003.

Las frases de Guido Carli sobre el estado de la Administración italiana justo después de la posguerra están en G. Carli, *Cinquant'anni di vita italiana*, Roma-Bari, Laterza, 1993, pp. 33 y 82.

El texto de Ferguson sobre las relaciones sociedad-Estado está en A. Ferguson, *Saggio sulla storia della società civile* (1767), trad. it. Roma-Bari, Laterza, 1999. El texto de Hegel, *Lineamenti di filosofia del diritto. Diritto naturale e scienza dello Stato* (1820), texto alemán original, Milano, Bompiani, 2006. El texto de Ferdinand Tönnies, *Comunità e società* (1887), trad. it. Roma-Bari, Laterza, 2011.

El de Benjamin Constant, *Lo spirito di conquista e l'usurpazione nei loro rapporti con la civiltà europea* (1814), trad. it. Macerata, Liberilibri, 2009. La frase de Luigi Sturzo está en L. Sturzo, *Nord e Sud. Decentramento e federalismo*, en "Il Sole del Mezzogiorno", 1901, después en Id., *Mezzogiorno e classe dirigente. Scritti sulla questione meridionale dalle prime battaglie politiche siciliane al ritorno dall'esilio*, Roma, Edizioni di storia e letteratura, 1986, p. 31. Del mismo autor, véase también *La società, sua natura e leggi* (1935), publicado nuevamente en 1949 (Bergamo, Istituto Italiano Edizioni Atlas, pp. 34 y156), donde observa que más que "società" resulta necesario usar el término de "comunidad", que indica comunión de personas.

IV. LAS DIFICULTADES DE LA DEMOCRACIA

Sobre la evolución de los Estados, S. Cassese, *Territori e potere*, Bologna, il Mulino, 2016.

Acerca de la crisis de los Estados, D. Acemoglu y J. Robinson, *Perchè le nazioni falliscono. Le origini di prosperità, potenza e povertà*, Milano, el Saggiatore, 2012.

Sobre niveles de estatalidad, recientemente, los textos de F. Fukuyama, *State-Building: Governance and World Order in the 21st century*,

Ithaca (NY), Cornell University Press, 2004; *The Origins of Political Order*, New York, Farrar, Straus and Giroux, 2011; *Political Order and Political Decay: From the Industrial Revolution to the Globalization of Democracy*, New York, Farrar, Straus and Giroux, 2014.

La definición de "gouvernementalité" de Michel Foucault (*Sécurité, territoire, population*, Paris, Seuil, 2004, pp. 111-112) es la siguiente: "Par "gouvernementalité", j'entends l'ensemble constitué par les institutions, les procédures, analyses et réflexions, les calculs et les tactiques qui permettent d'exercer cette forme bien spécifique, quoique très complexe, de pouvoir, qui a pour cible principale la population, pour forme majeure de savoir l'économie politique, pour instrument essentiel les dispositifs de sécurité.

Deuxièmement, par "gouvernementalité", j'entends la tendance, la ligne de force qui, dans tout l'Occident, n'a pas cessé de conduire, et depuis fort longtemps, vers la prééminence de ce type de "gouvernement" sur tous les autres: souveraineté, discipline, et qui a amené, d'une part, le développement de toute une série d'appareils spécifiques de gouvernement, et, d'autre part, le développement de toute une série de savoirs".

Para una crítica del "fundamentalismo democrático", véase D. Schnapper, *L'esprit démocratique des lois*, Paris, Gallimard, 2014. Sobre los criterios democráticos de la democracia directa, véanse las opiniones de C. Möllers y de P. Huber resumidas en *Wie demokratische ist direkte Demokratie?*, en "Frankfurter Allgemeine", 8 noviembre 2011.

El Informe Istat sobre la corrupción puede consultarse en ISTAT, *La corruzione in Italia. Il punto di vista delle famiglie*, 12 ottobre 2017.

Sobre igualdad y democracia, recientemente, C. Crouch, *Capitalism, Inequality and Democracy*, y C. Trigilia, *Tipi di democrazia e modelli di capitalismo: un'agenda di ricerca*, ambas en "Stato e mercato", n. 107, agosto 2016, respectivamente pp. 159 ss. y 183 ss.

V. LOS CONTRAPODERES

Sobre el problema de la legitimidad de la justicia constitucional atribuida a órganos independientes a los que solicitar la corrección de la democracia mayoritaria, véanse los siguientes textos de P. Pasquino:

crítica a *La minorité décisive. Le paradoxe de la démocratie majoritaire*, de A. Prezeworski, *Democracy and the Limits of Self-Government*, New York, Cambridge University Press, 2010, en "La vie desidées", 2 décembre 2011; *The Nature and Limits of the Majority Principle*, www.booksandideas.net, 20 aprile 2011; *Regole di maggioranza e democrazia costituzionale*, en "Rivista trimestrale di diritto pubblico", n. 4, 2011, pp. 945 ss.; *A Political Theory of Constitutional Democracy. On Legitimacy of Constitutional Courts in Stable Liberal Democracies*, New York University, Straus Working Papers 4/2013.

Acerca de la tutela de los derechos de los reclusos de las cárceles israelíes gestionadas por particulares, se hace referencia al Tribunal Supremo de Israel, *Academic Center of Law and Business v. Minister of Finance*, HJC 2605/05, 19 noviembre 2009.

Las palabras de Giuseppe Dossetti sobre las dos garantías que se acumularon en 1947 se encuentran en L. Elia y P. Scoppola, *A colloquio con Dossetti e Lazzati. Intervista (19 novembre 1984)*, Bologna, il Mulino, 2003, p. 65.

Los dos fragmentos de Hans Kelsen, publicados en *I fondamenti della democracia* (1955-1956) son citados y comentados por M. Salvadori, *Democrazia. Storia di un'idea tra mito e realtà*, Roma, Donzelli, 2015, pp. 169-370. Para un encuadramiento histórico, véase S. Lagi, *La teoria democratica di Hans Kelsen; un tentativo di storicizzazione (1920 – 1932)*, in "Teoria politica", 2017, p. 368 – 388.

Sobre la Administración bloqueada, L. Torchia (a cura di), *I nodi della pubblica amministrazione*, Napoli, Editoriale scientifica, 2016.

Las opiniones de Alcide De Gasperi y de Palmiro Togliatti sobre el bicameralismo se resumen en G. Crainz, *Storia della Repubblica. L'Italia dalla Liberazione ad oggi*, Roma, Donzelli, 2016, pp. 43-44, 156 y 193.

La relación de Massimo Severo Giannini de 16 abril 1946 ha sido publicada nuevamente en M. S. Giannini, *Per uno Stato democratico-repubblicano*, Roma, Edizioni di storia e letteratura, 2016, p. 47.

El discurso de Piero Calamandrei a la Asamblea Constituyente se ha vuelto a publicar en P. Calamandrei, *Chiarezza nella Costituzione*, Roma, Edizioni di storia e letteratura, 2012, p. 56.

Sobre los resultados electorales de 1946 y 1948, G. Crainz, *Storia della Repubblica*, cit., pp. 42-43. Sobre la reforma constitucional,

S. Cassese, *La riforma costituzionale in Italia*, en "Rivista trimestrale di diritto pubblico", n. 4, 1992, pp. 889 ss., así como en los volúmenes siguientes: B. Caravita, *Referendum 2016 sulla riforma costituzionale. Le ragioni del sì*, Milano, Giuffrè, 2016; S. Ceccanti, *La transizione è (quasi) finita. Come risolvere nel 2016 i problemi aperti 70 anni prima*, Torino, Giappichelli, 2016; G. Crainz y C. Fusaro, *Aggiornare la Costituzione. Storia e ragioni di una riforma*, Roma, Donzelli, 2016; A. Pace, *Referendum 2016 sulla riforma costituzionale. Le ragioni del no*, Milano, Giuffrè, 2016; P. Pisicchio y L. Tivelli (dirigido por), *La riforma costituzionale ai raggi x. Le ragioni del no, le ragioni del sì*, Roma, Il Periscopio, 2016; E. Rossi, *Una costituzione migliore? Contenuti e limiti della riforma costituzionale*, Pisa, UPI, 2016; P. Pombeni, *La questione costituzionale in Italia*, Bologna, il Mulino, 2016; *La riforma costituzionale. Disegno di legge costituzionale A.C. 2613-D*, en Servizio studi Camera dei Deputati, n. 216/12, parte I, 2016; G. Zagrebelsky (con F. Pallante), *Loro diranno, noi diciamo. Vademecum sulle riforme costituzionali*, Roma-Bari, Laterza, 2016. Véanse también las siguientes partes de revistas: *Almanacco referendario*, en "Lo Stato", a. IV, n. 6, 2016, pp. 285 ss.; *Dieci domande sulla riforma costituzionale*, en "Quaderni costituzionali", a. XXXVI, n. 2, 2016, pp. 215 ss.; *Sì/no: un voto decisivo*, en "il Mulino", a. LXV n. 4, 2016, pp. 617 ss.; *Riforme istituzionali e disciplina della politica*, en "Rivista trimestrale di diritto pubblico", n. 2, 2015, pp. 293 ss.

En general, sobre los referendos constitucionales, S. Tierney, *Constitutional Referendums. The Theory and Practice of Republican Deliberation*, Oxford, Oxford Univ. Press, 2012.

Las dos frases de James Madison, relativas a Montesquieu y a las dos ramas del Congreso, se encentran en A. Hamilton, J. Madison y J. Jay, *Il federalista* (1788), trad. it. Bologna, il Mulino, 1997, n. 47 y n. 58, respectivamente en las pp. 435 y 498.

La frase de Charles-Louis de Secondat, barone di Montesquieu, está en Montesquieu, *De l'esprit des lois* (1748), Paris, Garnier-Flammarion, 1979, I vol., p. 298.

La tesis de Costantino Mortati se expone en C. Mortati, *La seconda camera*, en "Cronache sociali", septiembre 1947, pp. 123-124, ahora en Id., *Studi sul potere costituente e sulla riforma costituzionale dello Stato*, Milano, Giuffrè, 1972, vol. I, p. 484.

Las tesis favorables a una sola cámara fueron sostenidas por Emmanuel-Joseph Sieyès en el relevante escrito *Qu'est-ce que le Tiers État?*, Paris, 1789, trad it. *Che cosa è il Terzo Stato?*, Roma, Editori Riuniti, 1992.

Los *Souvenirs* di Alexis de Tocqueville fueron escritos en 1850-1851, aunque publicados por primera vez en 1893. Los fragmentos citados están en A. Tocqueville, *Scritti politici*, Torino, Utet, 1969, vol. I, pp. 452 ss.

VI. MÁS ALLÁ DE LA DEMOCRACIA

El fragmento de Montesquieu sobre las leyes generales, políticas y civiles está en Montesquieu, *De l'esprit des lois*, cit., p. 128.

La frase de Monnet referida a Frankfurter se menciona en G. Farese y P. Savona, *Il banchiere del mondo. Eugene Robert Black e l'ascesa della cultura dello sviluppo in Italia*, Soveria Mannelli (CZ), Rubbettino, 2014, p. 15. Para una mayor bibliografía, *vid.* S. Cassese, *Il diritto globale. Giustizia e democrazia oltre lo Stato*, Torino, Einaudi, pp. 155 ss., donde se expone la tesis según la cual los principios democrático y del Estado de Derecho (*rule of law*) presentan notables diferencias y límites en el plano global, a consecuencia de las características propias del mismo orden global, por lo que la inexistencia de instituciones electivas globales no puede entenderse como expresión de un "déficit democrático", ya que no existe una autoridad superior frente a la que "defenderse" y ante la cual ejercer un control. En la "arena pública" global la dialéctica Estado-sociedad civil se sustituye por las relaciones multilaterales (el denominado "multilateralismo", o "multipolarismo" en italiano), en las que los ordenamientos o sistemas globales operan como "aliados" de los ciudadanos frente a los Estados. Éstos pueden utilizar instrumentos globales de tutela para "defenderse" de la actividad regulatoria de los Estados. En este sentido, es correcto hablar de *multilateralism enhancing democracy* (el multilateralismo que refuerza la democracia).

Sobre las relaciones entre globalización y contextos nacionales, D. Rodrik, *The Globalization Paradox. Democracy and the Future of the World Economy*, New York, Norton, 2011.

Acerca de la democracia global y la exportación de la democracia, R.O. Keohane, S. Macedo y A. Moravcsik, *Democracy-enhancing Multilateralism*, en "International Organizations", vol. LXIII, inverno 2009, pp. 1 ss., y R.O. Keohane, *Nominal Democracy? Prospects for Democratic Global Governance*, en "ICON", vol. XIII, 2015, pp. 343 ss.

Sobre el derecho a la democracia, T.M. Franck, *The Emerging Right to Democratic Governance*, en "American Journal of International Law", vol. LXXXVI, 1992, pp. 46 ss.

Acerca del dilema espiritual Alemania-Europa, véase el notorio escrito de Benedetto Croce, *Il dissidio spirituale della Germania con l'Europa*, Bari, Laterza, 1944.

El tema del "vínculo externo" es uno de los asuntos recurrentes del volumen de recuerdos de Guido Carli, *Cinquant'anni di vita italiana*, cit., pp. 165, 267, 374, 383, 390, 406.

La opinión de Guido Calabresi sobre la Unión Europea comparada a los Estados Unidos de América se encuentra en G. Calabresi, *Remarks of Hon. Guido Calabresi* (2010), Faculty Scholarship Series. Paper 2118, p. 436, http://digitalcommons.law.yale.edu/fss_papers/2118. Calabresi observa: "I believe that the United States is much more divided in terms of values than is Europe. I am talking about the core, old Europe, because those countries share similar values. And that may be why Europe can stand not having a strong central government. Consider the death penalty. Countries that have the death penalty may not join the European Union. In the United States, opinions are widely divergent on that topic. And so it is with other things". Véase también, S. Fabbrini, *Compound Democracies: Why the United States and Europe are Becoming Similar*, Oxford, Oxford University Press, 2010.

Sobre los Estados "dueños de los tratados", bajo el acostumbrado punto de vista internacional, también con referencia a la Unión Europea, véase la resolución del Tribunal Constitucional alemán, Bundesverfassungsgericht, II Senat, 6 julio 2010, 2 BvR 2661/06. 2 BvR 2661/06.

Sobre el déficit democratico europeo, A. Psygkas, *From the Democratic Deficit to a Democratic Surplus. Constructing Administrative Democracy in Europe*, Oxford, Oxford Univ. Press, 2017.

VII. PERSPECTIVAS ACTUALES

Sobre las relaciones entre religión y ordenamientos políticos, véase la reciente reflexión de M. Graziano, *Guerra santa e santa alleanza. Religioni e disordine internazionale nel XXI secolo*, Bologna, il Mulino, 2016.

Sobre la aplicación del Derecho religioso por parte de los jueces, véase Tribunal Supremo de Pakistán, *Zaheeruddin v. State 26 SCMR 1728* (1993).

Las resoluciones de los Tribunales Supremos sobre las relaciones entre Derecho y religión son del Tribunal americano, (caso *Jones v. Wolf* del 1979), del indio (caso Shah Bano, 1985), del canadiense (caso *Bruker v. Marcovitz*, 2007), y del italiano (sentenza 18 del 1982).

Acerca de las relaciones entre derechos garantizados a nivel supranacional y derechos asegurados en sede nacional se han pronunciado los Tribunales de la Unión Europea, en los casos Kadi, el Tribunal de Estrasburgo en el caso Behrami Saramati (2007), la High Court inglese con el caso AKMQ (2008) y el Tribunal Supremo americano en el caso Medellín (2008).

Sobre democratización, I. Budge y D. McKay (dirigido por), *Developing Democracy*, London, Sage, 1994; L. Morlino, *Change for Democracy. Actors, Structures, Processes*, Oxford, Oxford University Press, 2012.

Sobre la democracia en Italia, S. Fabbrini, *Quale democrazia. L'Italia e gli altri*, Roma-Bari, Laterza, 1994; L. Morlino, D. Piana y F. Raniolo (dirigido por), *La qualità della democrazia in Italia*, Bologna, il Mulino, 2013.

Sobre Burke, M. Ganzin, *La théorie de la représentation de la nation anglaise. E. Burke*, en *Le concept de représentation dans la pensée politique*, Aix-Marseille, Presses universitaires d'Aix-Marseille, 2003, p. 193 – 204.

Sobre la socialización del poder, véase K. Marx, *Antologia*, Milano, Feltrinelli, 2007, 229 – 231 e R. Guastini, *Marx dalla filosofia del diritto alla scienza della società*, Bologna, il Mulino, 1974, p. 329 – 339, también Lenin, *Stato e rivoluzione* (1917), en Id., *Opere*, vol. 25, Roma Editori riuniti, 1967, p. 361 – 463. Asimismo D. Zolo, *La teoria comunista della estinzione dello Stato*, Bari, de Donato, 1974.

Sobre la democracia procedimental, J. Habermas, *Fatti e norme. Contributi a una teoria discorsiva del diritto e della democrazia*, Milano, Guerini, 1996, spec. p. 506 ss. La critica a la democracia deliberativa en J. Brennan, *Against Democracy*, cit., p. 58 – 73.

La Ley italiana de 2000 sobre las encuestas de opinión es la L. 22 febrero 2000, n. 28, art. 8.

Acerca del "Deliberation day", B. Ackerman y J.S. Fishkin, *Deliberation Day*, New Haven - London, Yale University Press, 2004.

Sobre el futuro de la democracia, R. Dahrendorf, *Dopo la democrazia. Intervista a cura di Antonio Polito*, Roma-Bari, Laterza, 2001; A. Carter y G. Stokes (dirigido por), *Democratic Theory Today*, Cambridge, Polity, 2002; C. Crouch, *Postdemocrazia*, trad. it. Roma-Bari, Laterza, 2003; (véase igualmente del mismo autor *The March Towards Post-Democracy, Ten Years On*, in "The Political Quarterly", 2015, vol. 87 (1), p. 71 – 75); G. Duso (editor), *Oltre la democrazia. Un itinerario attraverso i classici*, Roma, Carocci, 2004.

Sobre la democracia electrónica, N. Persily, *Can Democracy survive the Internet?*, en "Journal of Democracy", 2017, April, vol. 28, n. 2, p. 63 – 76.

El relato *Diritto di voto* de I. Asimov in I. Asimov, *Tutti i racconti*, I, Milano, Mondadori, 1991, p. 55 - 69.

Las expresiones de Antonio Gramsci en A. Gramsci, *Quaderni del carcere*, dirigido por V. Gerratana, Torino, Einaudi, 1979, vol. III, p. 1624.

Sobre las tres oleadas de la democracia, E. Felice, *Storia economica della felicità*, Bologna, il Mulino, 2017, p. 323 ss.

El resumen sobre la crisis de la República de Weimar en C. Schmitt, *Imperium*, Macerata, Quodlibet, pp. 55 y 121; en p. 161 la nota con el verso original de Hölderlin.

El juicio de Churchill acerca de la democracia es uno de sus discursos pronunciado en la *House of Commons* el 11 noviembre 1947.

ESTE LIBRO, 10 DE LA COLEC-
CIÓN *CUADERNOS UNIVERSITA-
RIOS DE DERECHO ADMINIS-
TRATIVO* SE ACABÓ DE IMPRIMIR
EL 7 DE NOVIEMBRE DE
2 0 1 8

www.ingramcontent.com/pod-product-compliance
Lightning Source LLC
La Vergne TN
LVHW090001180726
843489LV00001B/323